**Verena Naegele**
**Irma und Alexander Schaichet**

Franz-Liszt-Gesellschaft Schweiz-Japan (Hrsg.)

**Verena Naegele**
**Irma und Alexander Schaichet**
Ein Leben für die Musik

Franz–Liszt–Gesellschaft Schweiz–Japan (Hrsg.)
mit Beiträgen von
Richard Frank und Walter Labhart

**Orell Füssli**

© Orell Füssli Verlag, Zürich 1995
*Gesamtgestaltung:* Andreas Zollinger, Zürich
*Lithos:* Photolitho AG, Gossau
*Druck und Einband:* Druckerei Ernst Uhl GmbH & Co., Radolfzell
Printed in Germany

ISBN 3-280-02312-2

# INHALT

Geleitwort von Richard Frank . . . . . . . . . . . . . . . . . . . . . 6
Vorwort von Thomas Wagner . . . . . . . . . . . . . . . . . . . . . 7

**I.**

**Der Geiger und Dirigent Alexander Schaichet**
Ein selbstloser Pionier . . . . . . . . . . . . . . . . . . . . . . . . 10
*Verena Naegele*

**II.**

**Die Pianistin Irma Schaichet**
Streiflichter auf das Leben von Irma Schaichet . . . . . . . . . . 70
*Verena Naegele*
Laudatio zum 90. Geburtstag von Irma Schaichet . . . . . . . . 80
*Walter Labhart*
Im 19. Jahrhundert verwurzelte Klavier-Tradition . . . . . . . 84
*Richard Frank*

**III.**

**Stimmen zum Musikerehepaar Schaichet**
*Georg Solti:* Meine Kriegsjahre in Zürich . . . . . . . . . . . . . . 98
*Annie Fischer:* Engagierte Förderung eines Wunderkindes . . 100
*Peter Wettstein:* Aspekte eines ungewöhnlichen Pädagogen . . 102
*Edith Peinemann:* Eine enthusiastische Begleiterin . . . . . . . . 104
*Hans J. Bär, Ruth Speiser-Bär:* Klavierlehrerin einer . . . . . . . 105
    musischen Familien-Dynastie
*Rudolf am Bach:* Die Liszt'sche Klaviertradition . . . . . . . . . . 107
*Kurt Pahlen:* Zweier prächtiger Menschen gilt es . . . . . . . . 109
    zu gedenken

**IV.**

**Anhang**
Verzeichnis der Ur- und wichtigsten Erstaufführungen . . . . 112
Anmerkungen . . . . . . . . . . . . . . . . . . . . . . . . . . . . . . 116
Fotonachweis . . . . . . . . . . . . . . . . . . . . . . . . . . . . . . 117
Danksagung . . . . . . . . . . . . . . . . . . . . . . . . . . . . . . . 117
Personenregister . . . . . . . . . . . . . . . . . . . . . . . . . . . . 118

# Geleitwort

Rudolf Steiner gibt in seiner Schrift «Wie erlangt man Erkenntnisse der höheren Welten» folgende interessante Anweisung: «Eine gewisse Grundstimmung der Seele muss den Anfang bilden. Der Geheimforscher nennt diese Grundstimmung den Pfad der Verehrung, der Devotion gegenüber der Wahrheit und Erkenntnis. Es gibt Kinder, die mit heiliger Scheu zu gewissen von ihnen verehrten Personen emporblicken. Sie haben eine Ehrfurcht vor ihnen, die ihnen im tiefsten Herzensgrunde verbietet, irgendeinen Gedanken aufkommen zu lassen von Kritik, von Opposition.» Ich glaube, diese Grundstimmung ist in kleinerem oder grösserem Masse bei allen Verfasserinnen und Verfassern von Gedenkschriften oder Biographien vorhanden. Es ist die Triebkraft, über unsere eigene Existenz hinaus dem Leitbild, dem Ideal zu folgen. Es ist das Resultat und die wahre Wirkung, die grosse Persönlichkeiten auf ihre Mitwelt verströmen - ein Licht in der Unwissenheit.

Der grosse Kreis von Gönnerinnen und Gönnern dieses Buches zeigt lebhaft die Ausstrahlung des hier festgehaltenen Doppelportraits von Irma und Alexander Schaichet, das die 1987 gegründete Franz-Liszt-Gesellschaft Schweiz-Japan herausgibt. Sie will damit an die grosse Schaffenskraft erinnern, mit welcher sich das Künstlerehepaar um die Musik verdient gemacht hat. Das vorliegende Buch wäre allerdings nicht möglich gewesen ohne die Mitwirkung zahlreicher Persönlichkeiten. Die Idee der Liszt-Gesellschaft, zur hundertsten Wiederkehr des Geburtstages unseres Gründungsmitgliedes Irma Schaichet eine Gedenkschrift herauszugeben, hat in Verena Naegeles gleichzeitiger Absicht, über Alexander Schaichet zu schreiben, eine unschätzbar glückliche Ergänzung des von uns dargelegten Konzeptes gefunden. Für Verena Naegeles Engagement sei hiermit gedankt. Dank geht aber auch an die Zeitgenossen des Musikerehepaares für ihre interessanten Erinnerungen: an Hans J. Bär und Ruth Speiser Bär, Thomas Wagner, Walter Labhart sowie an die Künstlerinnen und Künstler Sir Georg Solti, der das Ehren-Patronat der Franz-Liszt-Gesellschaft Schweiz-Japan innehat, Peter Wettstein, Annie Fischer, Edith Peinemann, Kurt Pahlen und Rudolf am Bach. Mein Dank geht aber auch an die Angehörigen von Irma und Alexander Schaichet sowie an zahlreiche Institutionen und Persönlichkeiten, die mit ihren bereitwilligen Auskünften dieses Buch tatkräftig unterstützten. Sie werden in der separat publizierten «Danksagung» namentlich erwähnt. Speziell verdanken möchte ich auch folgende Institutionen, die mit ihren grosszügigen Spenden diese Buchpublikation erst ermöglicht haben (Stand Januar 1995):

Ellen Weyl-Bär
Ruth Speiser-Bär
Bär-Kaelin Stiftung
Cassinelli-Vogel-Stiftung
Genossenschaft zum Baugarten
Dr. Andreas Girsberger
MIGROS Kulturprozent
Dr. Paul Sacher, Basel
Präsidialabteilung der Stadt Zürich
Schweizerische Volksbank

Alle diese erwähnten Persönlichkeiten und Stiftungen haben dazu beigetragen, dass die Franz-Liszt-Gesellschaft Schweiz-Japan ein interessantes, abwechslungsreiches, reich bebildertes Buch vorstellen kann, das nachhaltig an das kontinuierliche und bewundernswerte Wirken von Irma und Alexander Schaichet erinnert. Ich wünsche Ihnen bei der Lektüre viel Vergnügen.

*Richard Frank*
*Präsident der Franz-Liszt-Gesellschaft Schweiz-Japan*

# Vorwort

Es gibt Jubilare zu feiern, deren aktives Wirken schon sehr lange zurückliegt, aber deren Ausstrahlung und Persönlichkeit in lebendiger Frische im Gedächtnis vieler Menschen haften bleiben. Das Musikerehepaar Alexander und Irma Schaichet gehören dazu. Alexander Schaichet, geboren 1887, war ein begnadeter Geiger, Pädagoge und Dirigent. Vom Ausbruch des Ersten Weltkrieges überrascht, emigrierte Alexander Schaichet nach Zürich, wo er 1920 das Kammerorchester Zürich gründete. Mit diesem ersten Ensemble dieser Art in der Schweiz hat er nicht nur Bedeutendes zur Förderung dieser Musikgattung geleistet, sondern auch Uraufführungen zahlreicher Werke junger Schweizer Komponisten initiiert. 1927 wurde Alexander Schaichet eingebürgert und 1940 hat ihn Hans Lavater an die Musikakademie berufen, wo er als Leiter der Violin- und Bratschenklasse wirkte. Als Lehrer an der Musikakademie hat Alexander Schaichet viele Schüler ausgebildet, die heute ihrerseits als bekannte Musiker und Lehrer wirken. Die Stadt Zürich ehrte Alexander Schaichet mit der Verleihung der «Hans-Georg-Nägeli-Medaille» – der höchsten Auszeichnung der Stadt Zürich auf musikalischem Gebiet.

Am 7. Mai 1985 fand in der Halle des Stadthauses Zürich eine eindrückliche Feier aus Anlass des 90. Geburtstages von Irma Schaichet statt, den sie am 15. April desselben Jahres feiern durfte. Unzählige Freunde und Bekannte, Schülerinnen und Schüler aus Nah und Fern waren zu Ehren von Irma Schaichet zusammengekommen, um sie zu ehren und ihr zu danken. Zu den schönsten und ergreifendsten Momenten dieser Begegnung zählte ihre persönliche Wiedergabe des Adagios aus der Orgeltoccata C-Dur von Johann Sebastian Bach in der Klavierbearbeitung von Ferruccio Busoni, mit dem Irma Schaichet während ihres ersten Zürcher Jahres sehr verbunden war. Dieses verklärte Klavierspiel zum Abschluss der Geburtstagsfeier klingt heute noch in uns allen nach.

Elias Canetti beschreibt in seinem Werk «Die gerettete Zunge» seine Begegnung mit Ferruccio Busoni: «Gleich nach Überquerung der Ottikerstrasse hatte ich immer dieselbe erste Begegnung, die sich mir einprägte. Ein Herr mit einem sehr schönen, weissen Kopf ging spazieren, aufrecht und abwesend: er ging ein kurzes Stück, blieb stehen, suchte nach etwas und wechselte die Richtung. ... Es war Ferruccio Busoni, der da gleich in einem Eckhaus wohnte und sein Hund, wie ich erst später erfuhr, hiess Giotto.»

Ähnlich wie Elias Canetti seine Begegnung mit Busoni beschreibt, vollzog sich meine erste Begegnung mit Irma Schaichet im Quartier Oberstrass: Von meinem Elternhaus führte mich mein Schulweg in die Kantonsschule über die Frohburgstrasse zur Universitäts- und dann zur Rämistrasse. Der Hadlaubsteig – Wohnort des berühmten Musikerehepaares – kreuzte die Frohburgstrasse. So war es wohl kein Zufall, dass ich als junger Gymnasiast mehrmals einer grossgewachsenen, weisshaarigen, aufrechtgehenden und stets gepflegten Dame begegnete, welche zielsicher vom Hadlaubsteig in die Frohburgstrasse oder von dieser in den Hadlaubsteig einschwenkte. Dieses Bild hat sich mir – wie Busoni bei Canetti – eingeprägt: unschwer zu erraten, dass es sich bei dieser beeindruckenden Dame um die berühmte Irma Schaichet handelte, von der ich schon in meiner Jugend aus Musikerkreisen so viel Aussergewöhnliches gehört hatte.

Möge dieses Zeitdokument des Zürcher Musiklebens aus Anlass des 100. Geburtstages von Irma Schaichet Erinnerungen an eine Epoche aufleben lassen, die der Stadt Zürich auf kulturellem Gebiet eine wunderbare Dichte von Begegnungen mit Künstlerinnen und Künstlern aus aller Welt dank der Ausstrahlung und dem Charisma des Musikerehepaares Alexander und Irma Schaichet ermöglichte.

*Dr. Thomas Wagner*
*(1982-1990 Stadtpräsident von Zürich)*

# I. DER GEIGER UND DIRIGENT ALEXANDER SCHAICHET

# Ein selbstloser Pionier

*Verena Naegele*

«Es soll der Mensch dem Menschen dienen» – dieser ethische Leitgedanke bestimmte in grossem Mass das Leben und das künstlerische Schaffen von Alexander Schaichet. Er selber hielt dies einmal in einem Brief an den damaligen Zürcher Stadtpräsidenten Emil Landolt fest und fügte hinzu: «Der Sinn dieses edlen Denkens gab mir und gibt mir immer noch den Impuls und die Kraft, allem Unbill zu begegnen und zu trotzen.» «Unbill», wie er sie hier anführt, und Schicksalsschläge hatte Alexander Schaichet einige zu verkraften, wurde er doch in eine schwierige Zeit des historischen Umbruchs, der sozialen Unruhen und der politischen Neugliederung in Europa hineingeboren. Am Ende des letzten Jahrhunderts in Südrussland als Sohn eines jüdischen Kolonialwarenhändler-Ehepaares auf die Welt gekommen, erlebte der Musiker den Niedergang des zaristischen Russlands, das mit der bürgerlichen Februar- und der bolschewistischen Oktoberrevolution 1917 zu Ende ging, den Ersten Weltkrieg, den er in der Emigration in Zürich erlebte, und die nachfolgenden Gründerjahre sowie den grossen Börsenkrach vom 25. Oktober 1929 mit den schwierigen finanziellen und sozialen Folgen. Später folgte der Zweite Weltkrieg, der mit seinen Schrecken das Leben Schaichets stark beeinflusste. Doch bei all den finanziellen und gesellschaftlichen Zwängen, die aus diesen grundlegenden historischen Ereignissen resultierten, resignierte Alexander Schaichet nie, sondern er suchte und fand stets neue Gebiete, die ihn interessierten und in denen er sich mit Erfolg betätigte. So gründete er 1920 in Zürich das erste Kammerorchester, das es je in der Schweiz gab, und er leistete mit diesem Ensemble bis zu dessen Auflösung 1943 in verschiedener Hinsicht Pionierhaftes. Mit zahlreichen Ur- und Erstaufführungen hat er vor allem auch für die Schweizer Musikszene Bleibendes geschaffen, was fast vollständig vergessen und verschwiegen wurde. Daneben war Schaichet zuerst auf privater Basis, ab 1942 an der Musikakademie Zürich, auch als erfolgreicher und angesehener Pädagoge tätig.

## Kindheit und Jugend in Nikolajew und Odessa

Geboren wurde Alexander Schaichet am 23. Juni 1887 in Nikolajew in der Ukraine als Sohn von Michail und Berta Schaichet, geborene Gomberg, die in diesem vor allem von frommen Juden bewohnten Dorf ein kleines Lebensmittelgeschäft, einen veritablen «Tante-Emma-Laden», betrieben. Als der kleine «Sascha» sieben Jahre alt war, bestieg Nikolaus II. den Zarenthron, ein von Judenhass erfüllter Herrscher, der nicht nur entschlossen war, mit allen Mitteln am autokratischen Regierungsstil alter Prägung festzuhalten, sondern auch den in den 80er Jahren sukzessive wieder auf Gesetzesstufe gebrachten Antisemitismus rigoros durchzusetzen: Verbot von Landerwerb und Aufenthalt von Juden ausserhalb der Städte, beschränkte Zulassung der Juden zu den Lehranstalten und Ausschluss der Juden von Juristenberufen waren nur einige der rigiden antise-

*Der etwa 18jährige Alexander Schaichet (ganz rechts) zusammen mit seiner zehn Jahre jüngeren Schwester Emilie (ganz links) bei seinem Onkel in Odessa.*

mitischen Gesetze.[1] Auch Alexander, seine Eltern und die 1897 geborene einzige Schwester Emilie hatten in Nikolajew unter der offenen Repression der zaristischen Regierung zu leiden, wie aus einer späteren Erzählung von Irma Schaichet hervorgeht: «Sascha erzählte oft von fürchterlichen Nächten, wo unerwartet und grundlos die Gendarmerie, die Polizei, Pogrome auf die Juden veranstaltete. Sie mordeten nicht, sie gingen nur mit Bajonetten und Stöcken auf die aufgeschreckten Juden los, zündeten ihre Häuser an, verhöhnten, bespuckten sie, und dies alles, um sich einen Spass zu leisten, wenn sie sich in den Wirtschaften betrunken hatten. Das geschah oft, und die Nächte waren immer voll Angst und Schrecken, denn man wusste nie, wann die Laune, Pogrome zu veranstalten, den Herren wieder einfiel. So haben die Eltern eines Tages beschlossen, dieses berüchtigte Schreckensdorf zu verlassen und mit beiden Kindern nach Odessa zu übersiedeln, wo auch ein Onkel und eine Tante von Alexander lebten.»[2]

Die am Schwarzen Meer gelegene Gouvernementshauptstadt Odessa sollte zu einer schicksalsschweren Station auf dem ereignisreichen Lebensweg von Alexander Schaichet werden, war dieser bis 1906 dauernde Aufenthalt doch einerseits von der musikalischen Erziehung des Knaben, andererseits vom frühen und schmerzlichen Verlust der Eltern geprägt. Hier begann Alexander, dessen musikalisches Talent schon früh entdeckt und durch Geigenunterricht gefördert worden war, eine geregelte Violin-Ausbildung zu absolvieren und bereits im jugendlichen Alter von 11 Jahren in ersten Konzerten aufzutreten. Allerdings übte der Knabe, wie alle Kinder seines Alters, nicht sonderlich gerne, wie Irma Schaichet einmal in ihren Erinnerungen in einer amüsanten Anekdote festhielt: «Das Üben war dem lebhaften Jungen sehr verleidet. So hat der Onkel ihm für jede Stunde üben zwei Kopeken versprochen, was Sascha freudig akzeptierte. Trotzdem wollte er lieber mit den anderen Buben spielen, und so hatte er sich ausgedacht, die zwei Kopeken mit dem Freund zu teilen, falls dieser ein Zeichen geben würde, wenn jemand von der Familie naht. Bei diesem Zeichen nahm er dann schnell die Geige zur Hand und tat so, als ob er schon längere Zeit fleissig üben würde.»

Familiäre Schicksalsschläge trübten allerdings diese Jugendzeit, verlor Alexander Schaichet doch nach dem frühen Tod der Mutter kurze Zeit später auch den Vater, der in Odessa einem schweren Krebsleiden erlag. Onkel und Tante nahmen die beiden Waisenkinder bei sich auf, wo sie liebevoll betreut und gefördert wurden, sodass der Knabe auf der Geige schnell grosse Fortschritte machte. Schaichet trat daher in das angesehene Konservatorium von Odessa ein, wo etwa auch der Pianist Emil Gilels seine Ausbildung erhielt. Dort absolvierte er die berühmte Violinklasse von Pjotr Stoljarski, der später auch so grossartige Künstler wie David Oistrach und Nathan Milstein ausbildete. Alexander Schaichet war also wie diese ein Exponent der bedeutenden «russischen Violinschule». Nach dem erfolgreichen Abschluss in Odessa wechselte der Student dann auf Empfehlung Stoljarskis 1906 nach Leipzig ans Konservatorium. Es sollte ein Abschied für immer sein, denn die sich bald überstürzenden weltpolitischen Ereignisse verunmöglichten eine Rückkehr nach Russland.

## Ausbildung und erste Erfolge in Leipzig und Jena

Leipzig war damals eines der blühendsten kulturellen Zentren Europas, das mit seinem vielfältigen musikalischen Angebot den jungen Russen mit Sicherheit beeindruckte und inspirierte. Der Thomanerchor war als Elitechor weit herum berühmt und das Gewandhausorchester hatte seit 1895 mit Arthur Nikisch einen der angesehendsten Dirigenten jener Epoche als Generalmusikdirektor verpflichtet, der mit seiner Vereinheitlichung der Programme, seiner Dirigierkunst und seiner fortschrittlichen Programmation – er förderte etwa die Komponisten Max Reger, Anton Bruckner und Gustav Mahler – gewichtige Zeichen setzte. Zudem bestanden zwischen diesem europäischen Eliteorchester und dem renommierten «Königlichen Conservatorium der Musik zu Leipzig», wo Schaichet bei Professor Hans Beck studierte, enge Kontakte, hatten dort doch zahlreiche Orchestermitglieder eine Ausbildungsklasse inne, und Nikisch war von 1905 bis 1907 Direktor des Konserva-

toriums sowie Leiter der Dirigierklasse. Leipzig war zu dieser Zeit aber auch ein Zentrum der Musikwissenschaft, waren es doch Hermann Kretzschmar und dessen Nachfolger Hugo Riemann, zwei absolute Koryphäen auf diesem Gebiet, die in Leipzig die musikalische Lehre und Forschung aufbauten und 1908 das Musikwissenschaftliche Institut gründeten.[3]

Kein Wunder also, dass junge, ambitionierte Musiker aus ganz Europa zur Ausbildung nach Leipzig kamen, so etwa auch der 21jährige Schweizer Komponist Othmar Schoeck, der in den Jahren 1907 und 1908 Komposition in der Meisterklasse von Max Reger studierte. Reger hatte zu dieser Zeit als Nachfolger von Nikisch auch das Amt des Konservatoriumsdirektors übernommen.[4] Die jungen Musikstudentinnen und -studenten mussten damals in Vortragsübungen und Prüfungskonzerten auch Zeitgenössische Musik der Schüler aus den Kompositionsklassen aufführen, und so spielte Schaichet mehrmals in Konzerten mit, in denen auch Werke von Schoeck aufgeführt wurden; und zwar die Klavier-Lieder «Abschied», «An meine Mutter» und «Wanderlied der Prager Studenten» sowie die «Serenade für kleines Orchester» op. 1. Allerdings hat Alexander Schaichet später wenige Werke des jungen Schweizer Komponisten gespielt, bekannt ist etwa die Aufführung der «Gaselen».[5]

Ganz anders verhielt es sich mit Max Reger, dessen Werke – ob Kammermusik oder Orchesterwerke - Schaichet zeitlebens pflegte. Mit Reger, der damals auf der Höhe seines Könnens und Ruhmes stand, kam der junge Schaichet in Leipzig zum ersten Mal in Kontakt, freundete sich später mit dem um 14 Jahre älteren Komponisten und Musiker an, verkehrte regelmässig in dessen Haus und konzertierte auch öffentlich mit ihm. Eine zweite wichtige Freundschaft, die sich in dieser Zeit festigte, betraf den Cellisten Joachim Stutschewsky, der in der Ausbildungsklasse des Solo-Cellisten des Gewandhausorchesters, Julius Klengel, studierte und der für Schaichets weitere Zukunft von grosser Bedeutung war. Mit diesem 1891 ebenfalls in der

*Alexander Schaichet während der Studienzeit in Leipzig und Jena als bereits recht erfolgreicher junger Geiger und Dirigent.*

Ukraine, in Romny, geborenen Cellisten, den er 1909 kennenlernte, sollte Schaichet später häufig in Konzerten auftreten und, quasi als Schicksalsgemeinschaft, ein Stück Lebensweg gemeinsam zurücklegen.

Leipzig vermittelte dem jungen Russen aus Odessa so erste wichtige musikalische Eindrücke, Freundschaften sowie grundlegende Anregungen, besonders was die Förderung und Aufführung von Zeitgenössischer Musik betraf. Schaichet fühlte sich denn auch offensichtlich wohl, machte schnell grosse Fortschritte, konzertierte bereits als Student solistisch in der «Provinz» und schloss Anfang 1911 seine Ausbildung mit Auszeichnung ab.

Die nächsten Spuren von Alexander Schaichet finden sich 1911 in Jena, wo er am dortigen «Konservatorium der Musik» eine Konzertausbildungsklasse übernommen hatte sowie «Erster Konzertmeister der akademischen Konzerte» und Vizedirigent des von Fritz Stein geleiteten Collegium Musicum wurde. Stein, der unter anderen bei Arthur Nikisch Dirigieren und bei Hugo Riemann Musikwissenschaft studiert hatte, war die Musikerpersönlichkeit in Jena, die das Musikleben der Stadt entscheidend belebte und prägte. Er gründete den Akademischen Chor, übernahm 1908 den bürgerlichen Musikverein und baute das Collegium Musicum neu auf.[6] Zudem war er eng mit Max Reger befreundet, hatte dem Komponisten zur Ehrendoktorwürde der Universität Jena verholfen, wurde später als dessen Nachfolger bei der Hofkapelle in Meiningen vorgeschlagen, die Reger 1911 übernommen hatte, und war schliesslich auch der erste Biograph des 1916 allzufrüh verstorbenen Komponisten. Die Vermutung liegt also nahe, dass der erst 25jährige Alexander Schaichet dank der Vermittlung Regers diese hochdotierte Stellung als Assistent von Stein in Jena bekam, zumal Schaichet in dieser Zeit auch mit dem von Reger gegründeten «Meininger Trio» konzertierte.

Es scheint, dass Stein für Alexander Schaichet zum grossen Förderer, Mentor und Vorbild geworden ist, denn die besonderen musikalischen Qualitäten Steins, die von der Förderung Alter und Neuer Musik bis hin zu den hervorragenden Fähig-

*Das Meininger Trio mit Max Reger, Hans Treichler und Karl Piening, mit welchem Alexander Schaichet in seiner Studienzeit in Leipzig und Jena regelmässig konzertierte.*

keiten als Musikpädagoge reichten und von ihm mit gleichem Enthusiasmus betrieben wurden, sollten später in Zürich auch Schaichets musikalisch breitgefächertes Wirken bestimmen und prägen. Zudem leitete Schaichet damals, wie auf zahlreichen Programmen speziell vermerkt ist, häufig die Vorproben der von Stein dirigierten Konzerte und konnte so unter der Führung des ausgezeichneten Dirigenten wertvolle Erfahrungen auf diesem Gebiet sammeln. Daneben war Stein aber auch ein bedeutender Musikwissenschafter, der zu den Pionieren der Neuherausgeber Alter Musik gehörte und sich besonders um die Komponisten Johann Christian Bach, Gregor Joseph Werner und Johann Nepomuk Hummel verdient machte. Schaichet besass diese Gabe zwar nicht, aber es erstaunt bei der Wertschätzung für seinen Lehrer wohl kaum, dass er in Zürich mehrere Werke dieser Komponisten in der Bearbeitung Fritz Steins (erst-)aufführte, die zudem bereits in Jena unter Schaichets Mitwirkung oder Leitung gespielt worden waren. Die Freundschaft der beiden Männer blieb denn auch nach Schaichets Wegzug bestehen, sodass Stein seinen Eleven später mehrmals in Zürich besuchte.

Auch sonst bekam der aufstrebende junge Musiker in Jena bedeutende Anregungen. So kam häufig Arthur Nikisch mit seinem Gewandhausorchester Leipzig nach Jena und machte mit seinen Dirigaten tiefen Eindruck auf Schaichet, wie er später immer wieder erzählte.[7] Ein bedeutendes Ereignis war auch das Tonkünstlerfest des «Allgemeinen Deutschen Musikvereins», das im Juni 1913 unter der Ägide Steins und unter Mitwirkung des damals 26jährigen Schaichet in Jena stattfand. In Zürich hat Schaichet später Werke von vielen der damals vertretenen zeitgenössischen Komponisten aufgeführt, so etwa von Frederick Delius, Friedrich Klose, Hermann Zilcher, Waldemar von Baussnern, Julius Weismann, Max Reger und Kurt von Wolfurt. Jena war aber nicht nur für den Reifungsprozess des Pädagogen und Dirigenten von grösster Bedeutung, sondern auch

für den Kammermusiker. Hier nämlich gründete er das «Jenaer Streichquartett», das in zahlreichen Kammermusik-Konzerten in Deutschland erfolgreich konzertierte, dabei für Alte und Neue Musik (etwa am besagten Tonkünstlerfest) eintrat und auch unter Mitwirkung des Pianisten Max Reger Aufsehen erregte. Beim Gründungskonzert vom Oktober 1912 trat das Quartett in der Besetzung Alexander Schaichet (Erste Violine), Margarethe Reichardt (Zweite Violine), Fritz Kramer (Bratsche) und Hugo Fischer (Cello) auf, doch schon zwei Monate später starb ganz unerwartet der Cellist des Ensembles. In dieser Situation gelang es Schaichet, seinen Studienfreund Joachim Stutschewsky nach Jena zu holen, Margarethe Reichardt wurde durch Joachim Bransky ersetzt, und in dieser neuen Besetzung konnte das «Jenaer Streichquartett» fortan grosse Erfolge feiern. So schwärmte etwa die «Magdeburgische Zeitung» von der «grossen technischen Akuratesse» des Quartetts, die «Kölnische Zeitung» bezeichnete das Ensemble als «eine frische und leistungsfähige Körperschaft», und von der Interpretation des Quartetts c-moll op. 51 Nr. 1 von Johannes Brahms schreibt die «Weimarische Volkszeitung» am 7. Januar 1913: «Den Höhepunkt erreichte der Abend mit Brahms C-Moll-Quartett. Das war eine Leistung, die sich messen darf mit denen erstklassiger Künstler. Niemand wird dieses Adagio vergessen, dieses hinreissend gespielte, von schmerzlicher, fast wahnsinniger Leidenschaft erfüllte Finale! ... Das Zusammenspiel besonders in dem in bezug auf Tempo an die Grenze des Möglichen herangehenden Scherzo war bewundernswert.»

Auch mit Fritz Stein (Klavier) und Louise Lobstein-Wirz (Sopran) unternahm Schaichet eine Konzerttournee mit einem abwechslungsreichen Gemischt-Programm im Repertoire, das von Violinliteratur Mozarts, Bachs, Méhuls und Christian Sindings bis zu Liedern von Schubert, Nägeli und Brahms reichte. Und aus einem Konzert-Programm aus dem Jahr 1913 geht hervor, dass Schaichet in Köln unter der Leitung von Fritz Steinbach, der damals zu den führenden Dirigenten der Welt

◀ *Das in Deutschland erfolgreich konzertierende «Jenaer Streichquartett» mit Joachim Bransky, Joachim Stutschewsky, Alexander Schaichet und Fritz Kramer.*

gehörte, Mozarts Es-Dur-Violinkonzert KV 268 interpretiert hatte.

Die Karriere von Alexander Schaichets war also auf gutem Wege, als er sich im Frühling 1914 zusammen mit Stutschewsky für den Sommer zu einer folgenschweren Ferienreise in die Schweiz entschloss, die sie sich durch Auftritte bei Kaffeehauskonzerten in den damals neu entstehenden grossen Kurhotels in den Alpen verdienen wollten. Zur gleichen Zeit erhielt Fritz Stein auf Empfehlung von Reger eine Anfrage zur Übernahme des Meininger Orchesters als Nachfolger des zurücktretenden Freundes, sodass die Chancen für Schaichet nicht schlecht zu stehen schienen, das Jenaer Orchester von Stein ganz übernehmen zu können. Dazu kam es allerdings nicht mehr, denn der Ausbruch des Ersten Weltkrieges vernichtete solche Pläne.

### In der Schweiz vom Ersten Weltkrieg überrascht

Am 8. Juli 1914 reisten die beiden jungen Musiker aus Jena ab, unbekümmert um die kritische weltpolitische Lage, die nach der Ermordung des österreichisch-ungarischen Thronfolgers Franz Ferdinand am 28. Juni in Sarajevo entstanden war, um zuerst ein paar ungetrübte Ferientage in Lungern zu verbringen.[8] Dort traten Schaichet und Stutschewsky dann auch zuerst im Hotel Löwen und kurze Zeit später in dem nahe gelegenen Kurhotel auf dem Brünig ihre Stellen als «Kurmusik-Spieler» an. Das um die Jahrhundertwende errichtete «Grand Hotel Kurhaus Brünig» war ein typischer, stattlicher Bau aus der Gründerzeit und zeichnete sich durch sein majestätisches Ambiente aus. Hier spielten die zwei Musiker zum Teil zusammen mit einem Schweizer Pianisten, zum Teil Alexander Schaichet allein als Konzertmeister im kleinen Kurorchester, den zahlreichen illustren Gästen zum Tee oder zur Soiree auf. Und hier, in der Idylle und Abgeschiedenheit der Schweizer Alpen, erhielten die zwei Russen dann auch die Schreckensnachricht, dass am 1. August mit der Kriegserklärung Deutschlands an Russland der Erste Weltkrieg ausgebrochen war. Zwei Tage später erfolgte dann auch die Mobilmachung der Schweizer Armee, was den abrup-

ten Abbruch der kurmusikalischen Lustbarkeiten zur Folge
hatte. Das Schicksal, in der Fremde vom Kriegsausbruch überrascht zu werden, teilten die zwei Musiker übrigens mit Paul
Hindemith, der sich ebenfalls in der Schweiz, in Heiden, auf-
hielt, wo er sich als Konzertmeister in der dortigen Kurkapelle
die Sommerferien verdiente.

Nun sassen der 27jährige Alexander Schaichet und der
23jährige Joachim Stutschewsky in einem fremden Land weitab
von ihren Arbeitsstellen fest: Nach Deutschland konnten sie als
Russen nicht mehr zurückkehren, und nach Russland, das ja
ebenfalls im Krieg stand und dessen innenpolitische, soziale und
gesellschaftliche Probleme sich stetig verschärften, wollten sie
auch nicht zurückkehren. Diese extrem schwierige Situation
charakterisierte Irma Schaichet einmal treffend: «Sascha stand
nun da, ohne Stelle, ohne Schüler und bald auch ohne Geld.
Aber seine Geige war bei ihm und so hat er bald da und dort
Arbeit gefunden.»

### In der kulturellen Hochburg Zürich

Schaichet und Stutschewsky beschlossen, nach Zürich zu gehen,
wo sie am 31. August eintrafen und als nunmehr Staatenlose
einen sogenannten «Nansen-Pass» erhielten. In Zürich waren
die zwei Musiker keineswegs die einzigen Flüchtlinge, denn in
der Limmatstadt wimmelte es damals von «Gästen», die schon
kurz nach Kriegsausbruch aus allen Ländern Europas eingetrof-
fen waren, um den Kriegsgreueln ihrer Heimat zu entrinnen.
Und so wurde Zürich zu einem faszinierenden Sammelbecken
von illustren Persönlichkeiten aus Politik und Kultur, welche
vor allem auch das kulturelle Leben der Stadt nachhaltig beeinflussten.[9] Der wohl prominenteste politische Emigrant war damals Wladimir Iljitsch Uljanow, genannt Lenin, der längere Zeit
an der Spiegelgasse wohnte, bevor er im April 1917 als grosser
Revolutionär nach Russland zurückkehrte und damit Schaichet
indirekt endgültig die Rückkehr in die Heimat verunmöglichte.
Aber auch prominente Musiker befanden sich in Zürich, so der
Opernkomponist und Klaviervirtuose Eugène d'Albert und ab

M. Słodki

# Künstlerkneipe Voltaire
## Allabendlich (mit Ausnahme von Freitag)
## Musik-Vorträge und Rezitationen
### Eröffnung Samstag den 5. Februar
### im Saale der „Meierei" Spiegelgasse 1

1915 der Pianist und Komponist Ferruccio Busoni, der an der Scheuchzerstrasse lebte. Zu ihm reiste Irma Löwinger gegen Ende des Krieges zur Ausbildung von Budapest nach Zürich und lernte dabei ihren späteren Ehemann Alexander Schaichet kennen. Ein weiterer Emigrant, der in Schaichets Leben eine wichtige Bedeutung erlangte, war der 1884 in Oranienbaum bei St. Petersburg geborene Gregor Rabinowitch, der später als expressionistischer Grafiker sowie als Karikaturist beim Satire-Magazin «Nebelspalter» bekannt wurde. Rabinowitch war in Genf auf der Durchreise nach Paris vom Kriegsausbruch überrascht worden, konnte nicht mehr nach Frankreich ausreisen, weil die Grenzen für die russischen Juden gesperrt waren, und zog nach Zürich, wo er sich bald mit Alexander Schaichet anfreundete und später auch künstlerisch mit ihm zusammenarbeitete.[10]

Da sich die Zürcher Behörden – anders als dann im Zweiten Weltkrieg – den zahlreichen Emigrantinnen und Emigranten gegenüber grosszügig zeigten, konnten sie unbehelligt in Zürich leben und sich auch künstlerisch entfalten. Der Anstoss zu neuem kulturellem Leben ging denn auch eindeutig von diesen Emigranten aus, wobei vor allem ab 1916 die Dada-Bewegung und das Cabarett Voltaire für Turbulenzen sorgten. So wurden die Neuankömmlinge von der kulturellen Vielfalt der Stadt unweigerlich angezogen und inspiriert. Die damalige Stimmung schilderte Hans Arp, einer der grossen Dada-Exponenten, eindrücklich: «Trotz dem Kriege war jene Zeit voll seltener Reize, und in der Erinnerung scheint sie mir beinahe idyllisch. Damals war Zürich von einer Armee von internationalen Revolutionären, Reformatoren, Dichtern, Malern, Neutönern, Philosophen, Politikern und Friedensaposteln besetzt. Sie trafen sich vorzüglich im Café Odeon. Dort war jeder Tisch exterritorialer Besitz einer Gruppe. Die Dadaisten hatten zwei Fenstertische inne. Ihnen gegenüber sassen die Schriftsteller Wedekind, Leonhard Frank, Werfel, Ehrenstein und ihre Freunde. In der Nachbarschaft dieser Tische hielt das Tänzerpaar Sacharoff in

◀ *In Zürich erlebte Alexander Schaichet die Dada-Bewegung, die in der Künstlerkneipe Voltaire an der Spiegelgasse blühte und die auch den jungen Emigranten inspirierte.*

preziösen Attitüden Hof und mit ihnen die Malerin Baronin Werefkin und der Maler von Jawlensky. Kunterbunt steigen andere Herrschaften in meiner Erinnerung auf: Die Dichterin Else Lasker-Schüler, Hardekopf, Jollos, Flake, Perrottet, der Maler Leo Leuppi, der Gründer der 'Allianz', der Tänzer Moor, die Tänzerin Mary Wigman, Laban, der Erzvater aller Tänzer und Tänzerinnen, und der Kunsthändler Cassirer.»[11]

*Das «Grand Hotel Kurhaus Brünig», wo Alexander Schaichet als Kurmusikspieler vom Ersten Weltkrieg überrascht wurde. Das Hotel wurde später abgerissen.*

Auch Schaichet und Stutschewsky, die anfänglich in Zürich zusammen wohnten, konnten relativ schnell in dieser kulturell pulsierenden Umgebung Fuss fassen. Ihr tägliches Brot verdienten sie vorab mit Musikstunden, spielten aber auch in Kaffeehäusern, wie sie damals in Zürich häufig anzutreffen waren. Das von Arp oben erwähnte Café Odeon war sicher das berühmteste Beispiel dieser aus Paris und Wien importierten Begegnungsstätten. Daneben machte Schaichet aber auch mit einem neu aufstrebenden Medium Bekanntschaft, dem Kino, das mit dem «Radium» 1907 in Zürich Einzug gehalten hatte: Im Kino am Bellevue spielte er zuweilen die Live-Musik zu den gezeigten Stummfilmen.

Für einen Musiker mit den Ambitionen und dem künstlerischen Potential von Alexander Schaichet konte dieses «Tingel-Tangel-Leben» auf die Dauer aber nicht befriedigen, und finanziell konnte er sich so auch nur knapp über Wasser halten. Diese schwierigen Lebensumstände sollten sich erst ändern, als er im Kaffee Hungaria an der Schützengasse, wo er regelmässig am Abend allerlei Salonmusik, Märsche und Walzer spielte, einem Schweizer begegnete, der sich seiner annahm. Irma Schaichet hat diese wichtige Begegnung festgehalten: «Eines Abends kam der Wirt mit der Bitte zu Alexander, ob er sich zum Tisch eines Herrn Wagner begeben wolle, der immer wieder hierher komme, um ihn zu hören. Der unbekannte Herr fragte Sascha, wie und wo er lebt und ob er ihm nicht zu einem würdigen Leben helfen dürfe. Am nächsten Morgen holte Herr Wagner Alexander samt Köfferchen und Violine ab und nahm ihn auf in seiner Familie. Er hatte vier Kinder und eine sehr liebe Frau und Sascha war als Mitglied der Familie bei ihnen aufgenommen.»

Von diesem Zeitpunkt an musste Schaichet nicht mehr in Kaffees spielen, denn allmählich bekam er Konzertengagements und übernahm am privaten Konservatorium von José Berr in Zürich eine Violinklasse. Das erste öffentlich nachweisbare Konzert stammt vom Februar 1915, wo Schaichet und Stutschewsky bei einem Kriegsfürsorge-Abend spielten. Dies war für den Menschenfreund Schaichet typisch, denn in seinem langjährigen Zürcher Wirken folgten noch viele solche Wohltätigkeits-Konzerte. Der Kriegsfürsorge-Abend bildete den Auftakt zu einer ganzen Reihe von Kammermusikkonzerten, die sie in den Kriegsjahren in Zürich gaben. Schon in diesen Programmen zeigte sich die Entdeckerlust des Musikers, der von Anfang an Novitäten nach Zürich brachte, wie auch Ernst Isler in seiner Chronik über das Zürcher Konzertleben anerkennend vermerkt.[12] Ungewohnt für Zürich war damals die kaum bekannte Konzertform des klavierlosen Solo- und Duo-Vortrages, den die zwei Musiker mit – zum Teil bearbeiteten – Duos für Geige und Cello von Händel-Halvorsen, Beethoven, Haydn oder Richard Fassbaender in Zürich vorstellten. Auch das Repertoire von Erstaufführungen von Kammermusikwerken in anderer Besetzung war bemerkenswert. So wirkte Schaichet bei der Auf-

führung folgender Werke mit: der spätromantischen Serenade für Streichtrio op. 10 von Ernst von Dohnányi, des Trios d-moll op. 32 und des elegischen Quartetts für Geige, Bratsche und zwei Celli a-moll op. 35 von Anton Arensky, des Fis-Dur-Trios von Ermanno Wolf-Ferrari und einiger Kammermusik-Werke von Max Reger. Auffallend ist auch die Präsenz russischer Komponisten, etwa des an die russisch-nationale Schule anknüpfenden Reinhold Glière, der in seinen Werken immer wieder eine Vorliebe zur volksliedhaften Melodik entwickelte, oder Anton Arenskys, in dessen Quartett «Dem Andenken Tschaikowskys» Themen aus der alt-russischen Kirchenmusik und von russischen Volkstänzen verarbeitet sind. Tatsächlich hat Alexander Schaichet später auch mit dem Kammerorchester immer wieder Werke von Komponisten aus seiner Heimat vorgestellt.

Auch interpretatorisch vermochte Schaichet von Anfang an die Rezensenten zu überzeugen. Dies zeigt etwa eine Kritik in der Neuen Zürcher Zeitung vom 22. Mai 1915 über Regers Präludium und Fuge D-Dur op. 131 a Nr. 5 für Violine allein: «Herr Schaichet erwies sich hier als ein Geiger, der über ebenso viel sichere und starke Gestaltungskraft wie reifes und fein geschliffenes technisches Können verfügt, das ihn befähigt, dem prächtigen Werke ein ausgezeichneter Interpret zu sein.» Und der Tages-Anzeiger lobt Schaichet für die Interpretation der Solo-Sonate C-Dur BWV 1005 von Bach im Kleinen Tonhallesaal am 27. Dezember 1915: «Das Adagio zu Beginn hielt er in klassischer Ruhe, hob die verschiedenen Stimmlagen zugeteilte Melodie aus den schwierig zu behandelnden Akkordkomplexen in schöner Schattierung heraus und beherrschte überlegen den musikalischen Gehalt auch in seiner klanglichen Eigenschaft.» Der «tonschöne» Klang seiner Violine und das «temperamentvolle, virtuose» Spiel wird in Kritiken oft lobend erwähnt, wobei manchmal die etwas zu schnellen Tempi moniert werden. Schaichet spielte übrigens eine Gobetti-Violine aus einer venezianischen Geigenwerkstatt gleichen Namens aus der Zeit von Stradivari.

1917 und 1918 wurden für den gestrandeten Weltenbummler und Musiker zu den gewichtigen Jahren in Zürich, welche die

Weichen für seinen weiteren Lebensweg in die entscheidende Richtung stellten. Dies ist höchst bemerkenswert angesichts der damaligen schwierigsten, kriegsbedingten Verhältnisse mit einer rasanten Teuerung – zwischen 1914 und 1918 stiegen die Lebenskosten in Zürich um nicht weniger als 229 Prozent – und mit der schlechten Lebensmittelversorgung, die schliesslich im Spätherbst 1918 mit dem Generalstreik eskalierten. Schaichets Lebensumstände hatten sich in dieser Zeit trotz dieser widrigen Begleiterscheinungen so weit konsolidiert, dass er sich selbständig machen konnte und in die kleine Pension Masur des Ehepaars Dochan an der Kasinostrasse übersiedelte, wo alsbald eine junge Pianistin aus Budapest, Irma Löwinger, ihre Zelte aufschlug, um bei Ferruccio Busoni zu studieren. «Von der aus Budapest kommenden Pianistin Irma Löwinger knüpften sich zarte Bande zu dem tätigen Alexander Schaichet»[13] umschrieb Ernst Isler später in seiner Chronik feinsinnig dieses schicksalshafte Zusammentreffen. Offensichtlich verstanden sich die junge, hoffnungsvolle Pianistin und der Geiger nicht nur privat auf Anhieb ausgezeichnet, denn schon bald konzertierten sie auch öffentlich miteinander. Überhaupt wurde in dieser Zeit die Konzerttätigkeit für Schaichet immer wichtiger, was die steigende Integration des russischen Emigranten in das Zürcher Konzertleben dokumentiert.

Gewichtig ist etwa das Auftreten beim Lesezirkel Hottingen, wo er zusammen mit Joachim Stutschewsky und dem Pianisten Walter Frey im Grossen Tonhallesaal einen Dostojewski-Vortrag des renommierten Wiener Psycho-Analytikers Alfred Adler musikalisch umrahmte. Der Lesezirkel Hottingen trug damals viel zur geistigen Lebendigkeit Zürichs bei, denn das Leiterteam, die Brüder Hans und Hermann Bodmer, lud regelmässig bedeutende Persönlichkeiten nach Zürich ein, die in Europa Rang und Namen besassen.[14] An einem solchen Ort spielen zu können, bedeutete für Schaichet natürlich, einem fachkundigen Publikum bekannt zu werden. Mit diesem Konzert taucht übrigens auch zum ersten Mal der Name des Schweizer Pianisten

*Alexander Schaichet begann in Zürich zu konzertieren und trat auch mit Walter Frey (Klavier) und Joachim Stutschewsky (Cello) beim «Lesezirkel Hottingen» auf.*

## Der Lesezirkel

5. Jahrgang, 8. Heft        Zürich, März 1918

### Inhalt:

| | Seite |
|---|---|
| Die Rede am grossen Stein, von F. M. Dostojewski | 115 |
| Die deutsche Dostojewskiausgabe, von Stefan Zweig | 118 |
| Alfred Adler, von Charlot Strasser | 120 |
| Tschaikowsky, von Fritz Gysi | 125 |
| Chronik | 127 |

**Montag, den 18. März 1918
im grossen Tonhallesaal**

## 8. Abend des Lesezirkels Hottingen

# Dostojewski

### Rede von Dr. Alfred Adler (Wien)

Dazu: Trio für Pianoforte, Violine und Violoncello, op. 50 von Tschaikowsky:
„Dem Andenken eines grossen Künstlers gewidmet"

**Ausführende:**

Walter Frey, Alexander Schaichet u. Joachim Stutschewsky

Anfang 8 Uhr, Ende nach 9½ Uhr

Eintrittskarten Fr. 5.–, 4.–, 3.–, 2.– und 1.– a) Für Mitglieder im Vorverkauf bis Freitag im Bureau, Gemeindestrasse 4; b) für jedermann: von Samstag bis Montag nachmittags 4 Uhr ebenda und bei Kuoni (Bahnhofplatz), ferner Montag abends von 7 Uhr an an der Tonhallekasse

Walter Frey auf, mit dem Schaichet eine lebenslange Künstler-Freundschaft verband. Anders als die meisten Emigranten jener Jahre verstand es Alexander Schaichet also, auch mit Einheimischen Kontakte zu knüpfen. So zu seinem selbstlosen Gastwirt, Herrn Wagner, und zu Walter Frey, aber auch zum Bratschisten Joseph Ebner, zum Basler Cellisten Joseph Braun und zum Pianisten und Fraumünster-Organisten Ernst Isler. Mit diesem spielte er im damaligen Pfauen-Theater die aus Werken Beethovens zusammengestellte Bühnenmusik zur Dramatischen Rhapsodie «Der Garten des Paradieses» nach Andersen von Hans Reinhart. Die Regie stammte vom Direktor des Pfauen-Theaters, Alfred Reucker.

Wie bedeutend bereits zu dieser Zeit das Wirken Alexander Schaichets in Zürich war, zeigt, dass selbst der Schriftsteller und Philosoph Elias Canetti in seinen autobiographischen Aufzeichnungen «Die gerettete Zunge – Geschichte einer Jugend» Schaichet verewigt hat. Canetti, der ebenfalls als Emigrant 1916 mit seiner Mutter und zwei Geschwistern nach Zürich an die Scheuchzerstrasse 67 gekommen war, erzählt im Kapitel «Hypnose und Eifersucht – Die Schwerverletzten» über seine Mutter: «Ein Konzert von Busoni versäumte sie nie, und es verwirrte sie ein wenig, dass er nah bei uns wohnte. Sie glaubte mir nicht gleich, als ich von meinen Begegnungen mit ihm erzählte ... Sie versprach mir, mich einmal in eines seiner Konzerte mitzunehmen ... Er sei der grösste Meister des Klaviers, den sie je gehört habe, und es sei ein Unfug, dass die anderen alle ebenso wie er 'Pianisten' hiessen. Sie ging auch regelmässig in die Veranstaltungen des Schaichet-Quartetts, nach dem ersten Geiger benannt, und kam immer in einer unerklärlichen Aufregung von dort nach Hause zurück, die ich erst begriff, als sie mir einmal zornig sagte: ein solcher Geiger wäre der Vater gern geworden, es sei sein Traum gewesen, so gut zu sein, dass er in einem Quartett spielen könne. Warum nicht allein in einem Konzert auftreten? habe sie ihn gefragt. Aber da habe er den Kopf geschüttelt und gemeint, so gut hätte er nie werden können.»

Neben diesen Aktivitäten in Zürich begann Schaichet auch ausserhalb der Stadt zu konzertieren, so etwa zusammen mit Joachim Stutschewsky und Ernst Radecke (Klavier) beim Musikkollegium in Winterthur, wobei mit der Ballade und Polonaise von Henri Vieuxtemps wiederum eine Rarität im Programm figurierte. Zusammen mit Stutschewsky konzertierte er auch in Basel und Bern und machte auch das dortige Publikum mit der ungewöhnlichen Streicher-Duo-Besetzung bekannt.

Ein besonders interessantes Programm ist vom Akademie-Tag des Verbandes der Studierenden der Eidgenössischen Technischen Hochschule vom 1. Februar 1918 im Grossen Tonhallesaal erhalten, welches das weitere Wirken Schaichets in Zürich neben den Kammermusikabenden deutlich vorzeichnete. Gespielt wurde unter anderen vom Akademischen Orchester Zürich unter Leitung von Fritz Stüssi die damals mutmasslich Beethoven zugeschriebene «Jenaer Symphonie» in C-Dur, die ihre Erstaufführung im Januar 1912 in Jena erlebt hatte. Im Jenaer Programmheft schreibt der Herausgeber dieser heute Friedrich Witt zugeschriebenen vermeintlichen Jugendsymphonie Beethovens: «Die Partitur dieser unbekannten C-Dur Symphonie wurde hergestellt nach handschriftlichen Orchesterstimmen, die sich im Notenarchiv des im Jahre 1769 aus einem alten studentischen Collegium musicum hervorgegangenen 'Akademischen Konzert' in Jena fanden.» Der Herausgeber ist übrigens kein geringerer als Fritz Stein, und bei der Erstaufführung in Jena war auch Schaichet mit dabei ... Es dürfte sich in Zürich also um die erste Erstaufführung eines Orchesterwerkes gehandelt haben, bei der Alexander Schaichet seine Hand im Spiel hatte.

## Die Gründung des Kammerorchesters Zürich

Zürich war in den Kriegsjahren dank den zahllosen Emigrantinnen und Emigranten im zerstörten Europa zu einer einzigartigen kulturellen Hochblüte gelangt, und Alexander Schaichet hatte, wenn auch im kleinen Rahmen, einiges mit dazu beigetragen. Nun aber, nach dem Zusammenbruch der Mittelmächte unter Deutschlands Führung, der schliesslich zur Absetzung von Kaiser Wilhelm II. und am 11. November 1918 zum Waffenstillstand und damit zum Ende des Weltkriegs führte, änderte sich dies bald: die Dada-Bewegung löste sich auf und auch Busoni kehrte, wie manch anderer Emigrant, 1919 Zürich den Rücken. Auch Joachim Stutschewsky verliess 1924 Zürich und siedelte nach Wien über, blieb aber zeitlebens mit Schaichet befreundet. Dort gründete Stutschewsky übrigens das «Wiener Streichquartett», das zum Bannerträger der zweiten Wiener Schule wurde.

Nicht so aber Alexander Schaichet, der sich offenbar schon früh entschlossen hatte, in der Limmatstadt zu bleiben, um hier ein neues Leben und einen neuen Wirkungskreis aufzubauen. Privat waren es die Heirat mit Irma Löwinger am 15. Juli 1919 in Zürich sowie ein erstes Einbürgerungsgesuch im Jahre 1920, das allerdings nach so kurzer Aufenthaltsdauer ohne Chance blieb, mit welchen er in dieser Hinsicht markante Zeichen setzte. Aber auch künstlerisch festigte Schaichet sein Wirken nicht nur in Zürich, sondern in der ganzen Schweiz. Einerseits konzertierte er regelmässig mit Walter Frey und dessen Frau Alice Frey-Knecht, Emil Frey, Ernst Isler und seiner Frau Irma Schaichet, andererseits gründete er im Frühling 1920 das «Kammerorchester Zürich», das erste Orchester dieser Art in der Schweiz, mit dem er auch in anderen Städten gastierte. Diese Tatkraft und der damit verbundene Erfolg waren umso erstaunlicher, als nach dem Weltkrieg keineswegs eine Zukunfts-Euphorie herrschte. Im Gegenteil, die hohe Arbeitslosigkeit und die arge Finanzknappheit der Stadt Zürich, die sich anfang der 20er Jahre verschulden musste, führten nicht nur in der Tonhalle-Gesellschaft zu einem Defizit von satten 100 000 Franken, sondern allgemein zu einer pessimistischen Grundstimmung.[15] Seinen in dieser deprimierenden Zeit erstaunlich anmutenden Aufschwung hatte Schaichet denn auch nicht «nur» seinem künstlerischen Potential zu danken, sondern auch Mischa Kantorowitz, der seit Saisonbeginn 1917 zunächst an der Dufourstrasse, später an der Torgasse, eine Konzertagentur eingerichtet hatte, die auch Schaichet betreute. Die «Konzert-

direktion Kantorowitz», die Mitglied der «Vereinigung der Bühnenverleger» und «Schweizer Vertreter» der wichtigsten europäischen Verlagsfirmen war, beherrschte zusammen mit dem Musikhaus Hüni bis zur Gründung der Konzertgesellschaft AG 1928 allein die Szene, erreichten ihre Konzerte in den 20er Jahren doch zusammen beinahe die Zahl der offiziellen Tonhalle-Konzerte. Und als sich Alexander Schaichet 1920 entschloss, in dieser schwierigen Zeit ein Kammerorchester zu gründen, war es Kantorowitz, der das «Kammerorchester Zürich» (KAZ) in selbstloser Weise praktisch zum «Nulltarif» und oft noch mit der Sprechung einer Defizitgarantie unter seine Fittiche nahm und so dessen Überleben sicherte.

Hervorgegangen war das KAZ aus einem Kinderorchester, mit dem Schaichet erfolgreich debütiert hatte und dabei sich selber als Dirigent im kleinen Rahmen erproben konnte. Die Voraussetzungen des «Kammerorchesters Zürich» waren denn auch bescheiden: die Orchestermitglieder setzten sich bei den hohen Streichern aus teils diplomierten, teils nebenberuflich fortgeschrittenen Schülerinnen und Schülern von Alexander Schaichet sowie einigen enthusiastischen Musiker(innen) in den tiefen Streichern zusammen, die alle ohne Honorar mitspielten. Waren bei Konzerten Bläser nötig, so wurden Musiker des Ton-

*Alexander Schaichet gründete und dirigierte zuerst ein Jugendorchester, das den Ausgangspunkt für das Kammerorchester Zürich bildete.*

halle-Orchesters gegen Bezahlung engagiert, was oft zu Defiziten führte. Beeindruckend ist daher die Kadenz der Aufführungen, wurden doch von Beginn an drei Konzerte pro Saison im Abonnement programmiert, die entweder im Kleinen Tonhalle-Saal oder – wenn eine Orgel benötigt wurde – in der Kirche St. Peter durchgeführt wurden. In unregelmässigen Abständen wurden zudem ausserordentliche Konzerte zu Jubiläen oder Wohltätigkeitszwecken gegeben.

Alexander Schaichet, der russische Immigrant, wurde mit dieser Gründung des Kammerorchesters Zürich im März 1920 in seiner neuen Heimat zu einem mehrfachen musikalischen Pionier. Einerseits war das «KAZ» das erste Kammerorchester in der Schweiz überhaupt. Tatsächlich erregte er nicht nur in Zürich, sondern auch bei seinen Gastspielen in der «Provinz» – etwa in Kreuzlingen, Aarau, Rorschach, Wettingen, Wädenswil oder Lenzburg – grosses Aufsehen, wie «Ohrenzeugen» berichten. Andererseits war damit einhergehend natürlich fast vorprogrammiert, dass Schaichet – ohnehin offen und neugierig für alles Ungewöhnliche – mit dem KAZ viele Ur- und Erstaufführungen in Zürich darbieten würde, was schon aus seinem «Credo» ersichtlich wird, das jedem Generalprogramm des Orchesters beigegeben wurde: «Das Kammerorchester Zürich erstrebt die Förderung schöpferischer Talente, wertvoller Solisten und will junge Menschen in lebendige Beziehung zur Gegenwartsmusik bringen.» In diesem Leitgedanken wird überdies deutlich, wie sehr sich Schaichet immer wieder für die Jugend einsetzte, verfolgte er doch mit seinem Orchester klare pädagogische Ziele, sei es durch die Pflege des Orchesterspiels der jungen Streichergeneration, sei es durch die Förderung junger Solistinnen, Solisten und Komponisten.

Ein gewichtiger Bestandteil von Schaichets Wirken mit dem Kammerorchester bildete die Programmation, bei der er als nimmermüder Entdeckergeist sowohl im Bereich der Alten als auch der Zeitgenössischen Musik nach Neuem suchte und sich so als Dirigent ein immenses Repertoire aneignete. 51 Ur- und

*Die erste Saison 1920/21 des von Alexander Schaichet gegründeten Kammerorchesters, die mit diesem III. Konzert im Kleinen Tonhallesaal erfolgreich abgeschlossen wurde.*

# Kammerorchester Zürich
### Leitung: Alexander Schaichet

Donnerstag, den 19. Mai 1921, abends 8 Uhr, im kleinen Tonhallesaal

## III. Konzert
(Letztes)

Solistin: Corinna Potenti (Harfe)

### PROGRAMM:

1. Eine kleine Kammersymphonie, für Streichorchester, op. 7    Richard Zoellner
   (*1893)
   a) Allegretto con brio
   b) Scherzo-Allegro amabile e grazioso
   c) Musica sacra
   d) Allegro moderato.
   (Uraufführung in der Schweiz)

2. Variations sur un thème de P. Tschaikowsky    Anton Arensky
   pour Orchestre à cordes, op. 35    (1861–1906)

3. Introduction et Allegro    Maurice Ravel
   pour Harpe avec accompagnement de Quatuor à cordes,    (*1875)
   Flûte et Clarinette.
   (Flöte: Jean Nada. Klarinette: Edmond Allegra)
   (zum ersten Male).

4. Serenade für Streichorchester, op. 48    Peter Tschaikowsky
   (1840–1893)
   a) Pezzo in forma di Sonatina
   b) Walzer
   c) Elegie
   d) Finale (Tema Russo).

215 Erstaufführungen von Werken Alter und Neuer Musik, wovon allein 69 von Schweizer Komponisten, war 1943, als das Kammerorchester Zürich aufgelöst wurde, die beeindruckende Bilanz. Alexander Schaichet hat damit in Zürich in einer Zeit markante Akzente gesetzt, als das Zürcher Musikleben fast ausschliesslich von der Tonhalle-Gesellschaft mit ihrem mehrheitlich klassisch-romantisch ausgerichteten Repertoire geprägt war, und er hat damit das vom unbestrittenen Direktor Volkmar Andreae geleitete Musikleben der Stadt deutlich bereichert.[16] Die Pflege Neuester Musik wurde in dieser Zeit mehr und mehr privater Initiative überlassen – man denke neben Schaichet an den ebenfalls seit Beginn der 20er-Jahre aktiven Winterthurer Mäzen Werner Reinhart mit dem Dirigenten Hermann Scherchen und an den Basler Dirigenten und Mäzen Paul Sacher, der 1926 sein Basler Kammerorchester (BKO) gründete, wobei Sacher ausdrücklich die Tätigkeit Schaichets als Vorbild für sein BKO anführte.[17]

**Ein nimmermüder Pioniergeist**

Alexander Schaichet, entschlossen, seinen schon in Jena eingeschlagenen Weg konsequent weiterzugehen, wurde aber nicht nur durch die Gründung des Kammerorchesters Zürich zum Pionier. Die nächste derartige Aktivität, die wie keine andere seine Lebenshaltung spiegelt, betrifft die «Internationale Gesellschaft für Neue Musik» (IGNM), die 1923 im Anschluss an die legendären «Internationalen Kammermusikaufführungen Salzburg 1922» gegründet wurde und bei der die Schweiz sehr aktiv mitbeteiligt war.[18] Dem Schweizer Gründungsvorstand gehörte neben Volkmar Andreae, Hermann Suter, Werner Reinhart, H.W. Draber, Ernest Ansermet, Hermann Dubs, Ernst Isler und Reinhold Laquai auch Alexander Schaichet an.

Die IGNM setzte sich zum Ziel, ein musikalischer Völkerbund zu werden und die nach dem Weltkrieg verfeindeten Nationen zumindest im musikalischen Bereich zu versöhnen, indem Zeitgenössische Musik «ohne Rücksicht auf ästhetische Tendenzen, Staatsangehörigkeit, Rasse, Religion oder politische Ansicht des Komponisten» gefördert wurde, wie es in den Gründungsstatuten heisst. Dieses völkerverbindende Credo der IGNM verkörperte Schaichet, dieser in Nikolajew und Odessa aufgewachsene und in Jena, Leipzig und der Schweiz tätige Kosmopolit und Jude, der zeitlebens offen für Neues und für Andere war, der sich genauso für geistliche Kantaten und Choräle einsetzte wie für Musik jüdischer Komponisten, Schweizer, Deutsche oder Russen, geradezu ideal.

Es war diese initiative Schweizer Sektion der IGNM, die sich mit der kontinuierlichen Arbeit und Pflege der Mitglieder im eigenen Land hohe Verdienste erwarb, welche 1926 in Zürich das erste IGNM-Fest von Bedeutung durchführte. Und es ist wenig erstaunlich, dass Alexander Schaichet bei diesem von vielen Teilnehmern als «ideal» bezeichneten Fest eine bedeutende Rolle spielte, nicht nur als Vorstandsmitglied im organisatorischen, sondern als Dirigent auch im künstlerischen Bereich. Mit dem Kammerorchester Zürich führte Schaichet Manuel de Fallas «El Retablo de Maese Pedro» auf, das von Erich Doflein in der Musikzeitschrift «Melos» als «meisterhafte kleine Marionettenoper» gewürdigt wurde. De Fallas Werk, das am 25. Juni 1923 in Paris uraufgeführt worden war, erlebte damit in Zürich in der Übersetzung von Hans Jelmoli als «Meister Pedros Puppenspiel» am 20. Juni 1926 seine vielbeachtete deutschsprachige Erstaufführung, wobei mit Rico Jenny (Meister Pedro), Alice Frey (sein Junge) und Willy Roessel (Don Quixote) ausgezeichnete Solisten zur Verfügung standen. «Meister Pedros Puppenspiel» zeigt als einaktige Kammeroper einige typische stilistische Merkmale des «neoklassizistischen» de Falla. So fällt bei der kammermusikalischen, durchsichtigen Besetzung der Einbezug eines Cembalos auf. Das kastilische Milieu und das Zeitkolorit werden streng gewahrt, wobei sich der Komponist als ausserordentlicher Kenner der spanischen Musik des 16. und 17. Jahrhunderts erweist. Das nur knapp halbstündige Meisterwerklein besticht vor allem auch durch die espritvolle Charakterisierung Don Quixotes, der sanft, aber deutlich parodiert

◀ *Alexander und Irma Schaichet bei einem Ausflug mit den Kindern Mirjam, Peter und Vera (vorne, von links nach rechts).*

*«Meister Pedros Puppenspiel», das Alexander Schaichet im Rahmen des IGNM-Festes in Zürich erstaufführte. Die Puppen (Pedro ist in der Mitte erkennbar) schuf Otto Morach.*

wird. Auffallend sind zudem die melismatisch-rezitativischen Gesangspartien, die im Stile andalusischer Volksliedmelodien oft hartnäckig einen Zentralton umkreisen oder Tonwiederholungen virtuos rhythmisieren.

Schaichet führte das Kleinod in der Regie von Ottilie Hoch-Altherr im Kunstgewerbemuseum Zürich im Landesmuseum derart überzeugend auf, dass neben anderen Rezensenten auch Steinhard in der Musikzeitschrift «Auftakt» diese Aufführung als «eigentlich das reizendste Erlebnis des Musikfestes» bezeichnete. Die liebevollen, künstlerisch hochstehenden Puppen, die

vor allem bei der Hauptfigur mit stilisierten kubistischen Elementen spielt, stammten, wie auch das Bühnenbild, vom bekannten Künstler Otto Morach (1887–1973). Morach, der zusammen mit der bedeutenden Künstlerin Sophie Taeuber an der kunstgewerblichen Abteilung der Gewerbeschule Zürich lehrte, galt, wie seine der Dada-Bewegung verbundene Künstlerkollegin, als Pionier des Schweizerischen Marionettentheaters. Die vom Kubismus beeinflussten berühmten Figuren Sophie Taeubers zu Carlo Gozzis tragikomischem Märchen «König Hirsch» oder eben Morachs Arbeit zu de Fallas «Meister Pedro» sind gewichtige Beiträge für die Kunstform des Marionetten-theaters. Der 39jährige Morach lebte damals, genau wie Gregor Rabinowitch, im Künstlerhaus Letten, sodass diese fruchtbare Zusammenarbeit von Morach und Schaichet wohl über den Grafiker-Freund vermittelt worden war. Dank der daraus resultierenden hochstehenden Aufführung des «Meister Pedro» konnte de Falla übrigens seinen internationalen Ruf festigen.

Für Alexander Schaichet brachten die vielfältigen Aktivitäten im IGNM-Vorstand und das Zürcher IGNM-Fest nicht nur bedeutende Erfolge und die Gewissheit, auf dem richtigen Weg zu sein, sondern auch wertvolle ideelle Anregungen sowie die Bekanntschaft mit Gleichgesinnten, die er in seiner weiteren Tätigkeit mit dem Kammerorchester Zürich nutzte.

Doch so gross die Anerkennung seiner künstlerischen Leistungen auch war, so wenig wurde er in dieser Zeit von der Stadt Zürich gewürdigt, die ein zweites Einbürgerungsgesuch von Schaichet 1925 mit der Begründung abgelehnt hatte, ein jüdischer Ost-Emigrant müsse laut Gesetz für eine Einbürgerung mindestens 15 Jahre in der Schweiz ansässig sein. Schaichet solle noch etwas Zeit haben für eine «bessere Anpassung an das deutsch-schweizerische Wesen», ist in den Protokollen der Stadt dazu weiter vermerkt. Und auch der dritte, letztlich erfolgreiche Anlauf 1927 – notabene nach dem IGNM-Fest – ging nicht ohne Nebengeräusche über die Bühne. Zwar gewährte ihm die Stadt Zürich gegen eine «Bürgereinkaufsgebühr» von 400 Franken und gegen eine «Landrechtsgebühr» von 570 Franken am

28. September 1927 die Aufnahme in das Bürgerrecht der Stadt Zürich mit der Begründung, Schaichet sei ein «fleissiger, solider, ruhiger Mann» und habe «grossen Zulauf von Musikschülern». Doch wurde diese Einbürgerung in der «Neuen Zürcher Zeitung» (NZZ) vom 6. Oktober auf der Frontseite sehr perfide glossiert: «So nahm die Bürgerliche Abteilung des Grossen Stadtrates in ihrer letzten Sitzung einen Künstler russisch-jüdischer Abstammung mit seiner Familie in das Bürgerrecht auf, dessen Zugehörigkeit zur stadtzürcherischen Bürgerschaft schwerlich als wünschenswert bezeichnet werden kann. Denn wer bisher bewiesen hat, dass ihm an der Erfüllung der Pflichten gegenüber dem Gemeinwesen nur wenig gelegen ist, der sollte sich nicht um dessen Bürgerrecht bewerben – und auch nicht aufgenommen werden. Der Betreffende ist nämlich ein sehr säumiger Steuerzahler und hat es wiederholt bis zur Betreibung kommen lassen, bevor er seine Steuern bezahlte – nicht weil ihm dazu die Mittel fehlten, bewohnt er doch mit seiner vierköpfigen Familie eine teure Wohnung und hält zwei Dienstmädchen, sondern weil er als Künstler kein rechtes Verhältnis für das Steuerzahlen hat! Diese Eigenschaft fand selbst bei einem Oberrichter, Mitglied der sozialdemokratischen Fraktion – die von Anfang an für die Aufnahme des ihr nicht ferne stehenden Kandidaten eintrat – ... viel Gefallen... und so wurde der 'interessante' Bewerber mit allen Stimmen gegen die Freisinnigen ins Bürgerrecht aufgenommen.»

Aus den erhalten gebliebenen Unterlagen sowie aus Schaichets eigenen öffentlichen Bezeugungen geht hervor, dass er ein einziges Mal seine Steuern mit einigen Tagen Verspätung abgeliefert hat. Ruhe in diese perfide Polemik brachte erst ein in derselben Zeitung am 14. Oktober publizierter offener Brief, der von zahlreichen Honorablen unterzeichnet worden war. Namhafte Persönlichkeiten wie Hermann Reiff, Präsident der Zürcher Tonhallegesellschaft und dessen Gattin Lily Reiff-Sertorius, der Winterthurer Mäzen Werner Reinhart, die «Frauen Dr. Sulzer-Schmid in Winterthur, Dr. Escher-Prince in

◄ *Grafik von Gregor Rabinowitch zum Umzug an den Hadlaubsteig 6. (Von links Irma Schaichet, Alexander Schaichet, die Kinder Peter und Mirjam.)*

Zürich und Dr. Ludwig von Muralt in Zürich», sowie zahlreiche Schülerinnen und Schüler würdigten darin Schaichets Verdienste: «Wir Unterzeichneten haben den Betreffenden während seines dreizehnjährigen Wirkens kennengelernt als rastlos im Dienste seiner Kunst aufgehenden Musiker. Nicht nur als Geiger und Musikpädagoge, sondern auch als Gründer und Leiter des Zürcher Kammerorchesters hat er weitgehenden Anteil an der Bereicherung des hiesigen Musiklebens. Ganz besonders verdienstvoll ist sein mutiges und selbstloses Eintreten für die Werke der heute schaffenden Komponisten. Eine grosse Zahl von Ur- und Erstaufführungen solcher Schöpfungen verdanken wir seinem Mute, wodurch sein Name auch im Auslande rühmend bekannt wurde.» Im Anschluss daran relativierte die NZZ ihren Artikel: «Bei dieser Gelegenheit möchten wir den in gewissen Kreisen erhobenen Vorwurf zurückweisen, der Beweggrund der Ablehnung ... sei Abneigung gegen die Herkunft des Bewerbers gewesen. ... Ist man mit diesem Bewerber zu strenge ins Gericht gegangen, so hat ihm nun der grosse Kreis von Verehrern... eine Genugtuung verschafft, deren Veröffentlichung auch wir nach Abklärung der Dinge als wünschenswert betrachten.»

Alexander Schaichet konnte allerdings auch diese penible Affäre nicht von seinem weiteren verdienstvollen Wirken in Zürich abhalten. Vorerst erfolgte noch im selben Jahr der Umzug ins eigene Heim am Hadlaubsteig 6, der einer mehrmaligen Zügelei ein Ende setzte: Wer wollte schon in einer Mietwohnung ein Musikerehepaar zu Nachbarn haben, bei denen ständig geübt wurde – Reklamationen waren die unvermeidliche Folge. Gregor Rabinowitch hat zu diesem Umzug eine treffende Grafik geschaffen, auf der Irma mit dem Klavier, Alexander mit seiner Geige unter dem Arm und dahinter die zwei Kinder Mirjam (geboren 1921) und Peter (geboren 1924) zu sehen sind, die – vom Hausbesitzer der Mietwohnung mit Schimpf und Schande davongejagt – stolz erhobenen Hauptes am Hadlaubsteig 6 Einzug halten. Dieses neue Heim der Familie Schaichet wurde dann schon bald zu einem beliebten Treffpunkt für Musikerinnen, Musiker – vor allem für Schüler – und Komponisten.

Im Bereich seiner musikalischen Tätigkeit sind anfang der 30er Jahre gleich mehrere wichtige Ereignisse zu verzeichnen. So folgte einerseits die Teilnahme Schaichets am «Fest des Allgemeinen Deutschen Tonkünstlervereins», das 1932 in der Zürcher Tonhalle veranstaltet wurde. Der Komponist Meinrad Schütter (1910★) weiss über diesen Anlass eine wunderschöne Anekdote zu erzählen: «Die alte Tonhalle stand damals noch, und in einem turmüberdachten Gebäudeteil dieses verschnörkelten Hauses im modischen japanischen Baustil wurde das Fest mit Tanzmusik beendet. Dabei blieb mir eine Erinnerung an den Stehgeiger haften. Er spielte wie ein Zigeunerprimas, derweil ein stumpenrauchender Herr sich darüber köstlich amüsierte und immer wieder zum Podium hinaufschaute. Es war mein 'Halbgott' Othmar Schoeck, und der Primas war Alexander Schaichet mit der ausgezeichnet spielenden Unterhaltungsmusikkapelle. Schaichet war eben kein Popanz, dem gute Unterhaltungsmusik zu gering war.»[19]

Im selben Jahr betreute er die Uraufführung von Albert Moeschingers Kantate nach Sprüchen des Angelus Silesius op. 24, wobei der Komponist über die Aufführung durch Alice Frey-Knecht (Sopran), Alexander Schaichet (Violine) und Johan Hoorenman (Cembalo) in einem enthusiastischen Brief an Schaichet am 10. März 1932 vermerkte: «Die Interpretation war erlebt und für den Komponisten werbend im besten Sinne... Ich dachte gleich, aha, Musiker, die für mich einstehen.»

Zwei Jahre später, 1934, folgte dann als neuerliche Pioniertat Schaichets die Mitbegründung der «Pro Musica». Inhalt und Ziele dieser Vereinigung waren Spiegel und Summe des 26jährigen Wirkens von Schaichet. Daher geben die Programme des «Kammerorchesters Zürich» interessante Aufschlüsse über Ideen und Bandbreite des Wirkens des Musikers, wie sie in der «Pro Musica» eine weitere Ausformung fanden.

## Die Programmation des Kammerorchesters Zürich

Alexander Schaichet spezialisierte sich auf die Aufführung Alter und Neuer Musik, was sich schon von der erst wieder neuentdeckten Gattung des Kammerorchesters her aufdrängte, ist doch die Orchestermusik des 19. und beginnenden 20. Jahrhunderts fast ausschliesslich für das grosse Sinfonieorchester komponiert, während die kleinen Hoforchester des 17. und 18. Jahrhunderts per se zwar Kammerorchestergrösse aufwiesen, ohne allerdings so bezeichnet zu werden.[20]

Eröffnete sich so bei der Alten Musik ein reiches Entdekkungsfeld brachliegender und in Archiven verstaubender Werke, so galt es für einen Pionier wie Schaichet, bei der Neuen Musik ein Repertoire für diese kleinere, beweglichere Ensembleform durch Ur- und Erstaufführungen erst einmal aufzubauen. Diese Grundlagen waren Herausforderung, Chance und Gratwanderung zugleich, und Schaichet konnte ihnen – auch wegen seinen nicht idealen Voraussetzungen mit dem Orchester – nicht immer auf gleich hohem Niveau gerecht werden. Trotzdem repräsentiert seine Arbeit einen faszinierenden Teil Gattungsgeschichte des Kammerorchesters, können doch Schaichets mannigfalte Schwierigkeiten und deren Überwindung, aber auch seine vielen risikoreichen Abenteuer mit Höhenflügen und Tiefschlägen, die Anfänge der nun zur Tradition gewordenen Gattung Kammerorchester dokumentieren.

## Alte Musik

Im Bereich der Alten Musik befand sich die Musikforschung 1920, als Schaichet mit dem Kammerorchester Zürich seine Tätigkeit aufnahm, buchstäblich noch in den Kinderschuhen. Was die Aufführungspraxis betrifft, hatte etwa die grosse Cembalistin und einsame Vorkämpferin Wanda Landowska erst 1909 ihre berühmte Schrift «La musique ancienne» herausgegeben, in welcher sie sich für die Pflege und Wiedergabe älterer Musik in Originalbesetzung – das heisst vor allem auch mit Cembalo-Begleitung – einsetzte. Schaichet hat in dieser Beziehung für heutige Begriffe zuerst arg «gesündigt», als er etwa das Konzert f-moll für Klavier und Orchester BWV 1056 von Johann Sebastian Bach mit einem modernen Flügel oder ein Vivaldi-Concerto mit einem «schrillen Nagelklavier» aufführte und prompt in den Zeitungen dafür Kritik erntete. Es spricht aber für die Offenheit Schaichets, dass er in späteren Jahren bei solchen Werken nie mehr einen Flügel einsetzte und gar mit Spezialistinnen und Spezialisten des Cembalos wie der Berlinerin Alice Ehlers oder Johan Hoorenman konzertierte. Wie sehr er sich um eine adäquate Aufführungspraxis Alter Musik bemühte, zeigt die interessante Kritik eines Konzertes des KAZ mit der Cembalistin Alice Ehlers in der «Schweizerischen Musikzeitung»: «Im dritten Konzert des Kammerorchesters Zürich führte Alice Ehlers nacheinander zwei neugebaute Cembali vor: ein deutsches von Glaser und das bekannte französische von Pleyel, wodurch sie die Bemühungen heutiger Instrumentenbauer um die Wiedergewinnung des Klangbildes dieses in unserer gegenwärtigen Musikpflege wieder unentbehrlich gewordenen Tasteninstrumentes in sinnfälliger Weise demonstrierte. Die geschätzten Qualitäten des klangstarken und in der grossen Variabilität der Registrierung bestechenden Pleyel-Instrumentes kamen in einem Konzert von Dittersdorf neuerdings ausgezeichnet zur Geltung, wobei man auch gleichzeitig seine Vorzüge im Zusammenwirken mit den heutigen Streichern und deren Spielweise erkannte. Andererseits darf man dem klanglich zurückhaltenden, herbern und 'deutschern' Glaser-Cembalo vielleicht originaleren Klangcharakter zusprechen, soweit sich überhaupt ein Normal-Klangtypus für das Cembalo annehmen lässt... Als Eingangsstück bot die meisterlich gestaltende Cembalistin mit dem von dem bekannten Bach-Bearbeiter Dr. Hans David nach einer Kantate rekonstruierten d-Moll-Cembalokonzert eine Bach-'Uraufführung'. Rückt das neugewonnene Konzert vielleicht auch nicht bedeutendste oder ungewöhnliche Prägung Bachscher Stilelemente ins Licht, so darf es doch als wertvolle Bereicherung der Cembalo-Konzertliteratur angesprochen werden.»[21]

Als zweiter Pfeiler der Erforschung Alter Musik war die kritische Editionstätigkeit in jenen Jahren nicht nur erst in den

Anfängen begriffen, sondern auch noch nicht so unbestritten wie heute. Mit welchem Aufwand es damals verbunden war, Aufführungsmateriale von unbekannten Werken zu beschaffen, weiss heute kaum jemand mehr. So wurde etwa das Bach-Werke-Verzeichnis (BWV) von Wolfgang Schmieder erst 1950 in Leipzig erstmals veröffentlicht, und die Haydn-Forschung, mehrmals behindert durch gescheiterte Gesamtausgaben, war noch nicht sehr weit, sodass der erste Band des Hoboken-Verzeichnisses mit Haydns Instrumentalmusik erst 1957 erschien. Und auch Mozarts Werkverzeichnis, wiewohl von Ludwig Köchel 1862 erstmals herausgegeben, erfuhr erst durch zahlreiche Bearbeitungen im 20. Jahrhundert seine akribische Ausgestaltung. Mozarts Divertimenti, Serenaden, Notturni und Cassationen etwa, die Paul Sacher später auf grossartige Weise systematisch wieder entdeckte, wie Sibylle Ehrismann in «Fünfzig Jahre Collegium Musicum Zürich» aufzeigt, waren zu

*Die Bach-Familie mit Johann-Sebastian Bach (unser Bild) und dessen zahlreichen Söhnen pflegte Alexander Schaichet mit dem Kammerorchester besonders intensiv.*

Schaichets Zeit noch kaum bekannt. Aus diesen Gründen ist bei den Programmen des Kammerorchesters Zürich charakteristisch, dass bei den Werkangaben lediglich die Besetzung und allenfalls die Tonart steht, meist aber eine nähere Werkeinordnung fehlt, was die genaue Bestimmung heute in vielen Fällen unmöglich macht. Erschwerend kam für Schaichet zudem hinzu, dass ihm nicht, wie später Paul Sacher, zahlreiche ausgewiesene Experten wie Ina Lohr oder Antony van Hoboken für akribische Forschungen zur Verfügung standen.[22] Er war mehrheitlich auf seinen Mentor Fritz Stein und auf die Verlage der «Konzertagentur Kantorowitz» angewiesen, die ihn mit Neueditionen eindeckten. Von den zum Teil kriegsbedingten Schwierigkeiten Schaichets, neue Alte Literatur zu erhalten, zeugt das Vorwort zum Generalprogramm des KAZ für die Saison 1942/43: «Die Schwierigkeiten, Neuausgaben alter Meisterwerke aus dem Auslande zu erhalten, zwingen uns, einen Teil unserer dieswinterlichen Werkaufstellung auf Wiederholungen bewährter Kompositionen umzustellen.»

Die Möglichkeit, überhaupt das Werk eines alten Meisters wieder aufführen zu können, wurde damals oft auch noch vor editionskritische Erwägungen gestellt, weshalb es in dieser Zeit etwa charakteristisch ist, dass zeitgenössische Komponisten neu aufgefundene Alte Werke nach ihrem Gusto bearbeiteten und so quasi ein neues Werk schufen. Auch Schaichet hat einige interessante derartige Bearbeitungen gespielt – etwa das Concerto grosso Nr. 1 B-Dur op. 3 von Händel in der Bearbeitung Max Regers, ein «Ricercare» aus dem «Musikalischen Opfer» von Johann Sebastian Bach in der romantisierenden Streicherbearbeitung von Edwin Fischer, Vivaldis Konzert-Sonate e-moll für Cello und Streicher in der Bearbeitung von Vincent d'Indy, oder – als besonders interessantes Stück – das Konzert für Cembalo und Orchester von Georg Matthias Monn, das Arnold Schönberg für Cello und Orchester neu instrumentierte und Pablo Casals widmete.

Einen interessanten Einblick in die damaligen Probleme von Aufführungen Alter Musik bietet die Rezension eines Konzertes des KAZ in der «Schweizerischen Musikzeitung» (SMZ) von 1931: «Alexander Schaichets und seines Kammerorchesters verdienstliche Bemühungen um alte Musik dankt man neuerdings einen Konzertabend ungewöhnlicher Prägung. War er einerseits auf wertvolle Werke Händels und Bachs gestellt, so führte er andererseits mit zweien der berühmtesten Werke der Musikgeschichte, Giovanni Gabrielis 'Sonata pian e forte' und Claudio Monteverdis 'Lamento di Arianna' mitten hinein in die Problematik der Neubearbeitung und Interpretation alter Musik. Redete die Gabrielische Sonate auch in der Steinschen Umbesetzung eine eindeutige Sprache, so musste die Orffsche Neufassung der Ariadneklage zu nachdenklichen Betrachtungen über Original und Bearbeitung anregen. Diese Neugestaltung teilt mit denjenigen des 'Orfeo' und des 'Ballo delle Ingrate' den Vorzug, weit über eine blosse (im besonderen Falle doch stets fragwürdige) Rekonstruktion hinauszuwachsen und zur wirklichen Neuschöpfung zu werden. Die trotz aller Ausdrucksintensität mit ihrer dunklen Instrumentierung und den archaischen Leerklängen herb anmutende und etwas Starres behaltende Komposition hatte in Ilona Durigo eine grosszügig gestaltende Mittlerin.»

Trotz gewissen Mängeln hat Alexander Schaichet mit seinem Kammerorchester Zürich im Bereich der Alten Musik Grosses geleistet und nicht zuletzt auch Wesentliches zur offenen und fruchtbaren Diskussion um die historische Aufführungspraxis beigetragen. Betrachtet man die Programme systematischer auf die Erstaufführungen hin, so sind doch klare Schwer- und Höhepunkte in seinem Wirken auszumachen. Zu den bedeutendsten Leistungen gehörte sicher die konzertante Aufführung von Henry Purcells «Dido und Aeneas» am 4. März 1926 im kleinen Tonhallesaal mit Else von Monakow (Dido) und Werner Huber (Aeneas), die damit noch vor der bahnbrechenden Aufführung des Meisterwerkes durch Paul Sacher in Basel am 25. Mai 1928 erfolgte. Zu einem weiteren Ereignis wurde sicher auch die Schweizerische Erstaufführung von Mozarts Klavierkonzert D-Dur KV 175 im September 1931 mit der erst 11jährigen Annie Fischer. Das ungarische Wunderkind spielte Mozarts Frühwerk derart einfühlsam, dass die Kritik in der SMZ schrieb: «Im ersten, klassischer Musik gewidmeten Konzert des Kammerorchesters Zürich konnte Annie Fischer, deren erfreuliche künstlerische Entwicklung sich mehr und mehr bestätigt, den Charme ihres Spiels an Mozart und Haydn (D-Dur-Konzerte) voll entfalten. Das Kindliche hat sich bei ihr nunmehr ins Jungmädchenhafte lieblich gewandelt und im entwickelteren Klangsinn wie auch in der verfeinerten Anschlagskultur ahnt man frauliche Reife voraus. Die kleine Annie ist auf dem Weg, eine Persönlichkeit zu werden... – In den Begleitaufgaben bewährte sich das Kammerorchester unter Alexander Schaichets umsichtiger Leitung neuerdings als bewegliches Instrument. Auch in dem von Solobläsern des Tonhalleorchesters, Marcel Saillet (Oboe), Emil Fanghänel (Klarinette), Hans Will (Horn) und Gustav Steidl (Fagott) klangschön und beweglich musizierten 'Konzertanten Quartett für vier Bläser und Orchester' von Mozart wurde sicheres und lebendiges Zusammenspiel erreicht.»[23]

Annie Fischer konzertierte noch mehrmals mit dem KAZ, das auf stattliche Grösse verstärkt wurde, um das ungarische Ausnahmetalent in Beethovens Klavierkonzert c-moll op. 37, in Schumanns Klavierkonzert a-moll op. 54 oder in Liszts «Fantasie über Ungarische Volksmelodien» adäquat begleiten zu können. Erstaufführungen von Klassikern aber, wie sie in dem ersten Annie-Fischer-Konzert stattfanden, waren in den Programmen Schaichets nur spärlich vertreten. So wurde von Mozart neben dem Klavierkonzert lediglich noch ein «Konzertrondo für Cembalo und Orchester» – wahrscheinlich das Rondo Nr. 1 für Klavier und Orchester KV 382 – erstaufgeführt. Einen aussergewöhnlichen Abend bescherte dem KAZ der Violinist Simon Goldberg, der das A-Dur Konzert KV 219 von Mozart – wenn auch nicht in Erstaufführung – spielte. Goldberg war ein hervorragender Musiker und bildete zusammen mit Paul Hindemith und Emanuel Feuermann auch ein erfolgreiches Streichtrio, das später von den Nationalsozialisten erbarmungslos verfolgt wurde. Über das Zürcher Konzert mit dem KAZ schwärmte die SMZ: «Das Kammerorchester hatte sich in dem frühern Konzertmeister der Berliner Phil-

*Alexander Schaichet war der erste Dirigent, der in der Schweiz die damals noch unbekannte Purcell-Oper «Dido und Aeneas» aufführte.*

harmoniker, Simon Goldberg, der sich vorigen Winter in einem Trio-Abend mit Hindemith und Feuermann aufs vorteilhafteste in Zürich einführte, die Mitwirkung eines Solisten gesichert, dessen ausserordentliche Begabung nicht nur das Publikum, sondern auch das Orchester in helle Begeisterung versetzte, und so von diesem in Mozarts Konzert in A-Dur in klanglicher und rhythmischer Hinsicht mit ganz ausnehmender Vollendung begleitet wurde.» Goldberg, dessen Tonkultur und Geschmeidigkeit der Stricharten besonders gerühmt werden, spielte mit dem KAZ auch das Konzert D-Dur KV 211.

Bei Haydn waren es immerhin acht Werke, welche das KAZ erstaufführte, wobei neben dem erwähnten Klavierkonzert D-Dur mit Annie Fischer auch die Sinfonia Concertante für Oboe, Fagott, Violine, Cello und Orchester (nach H.C. Robbins Landon allgemein als «op. 84» bezeichnet) und das Konzert für Oboe und Orchester H 7g besonders erfolgreich waren.

Betrachtet man die erstaufgeführten Werke im chronologischen Ablauf, so erhält man eine erstaunlich vielfältige und reichhaltige Programmation des KAZ während der 23 Jahre seines Bestehens. Schon aus der Zeit vor Bach sind eine Anzahl Kostbarkeiten zu verzeichnen. Vom grossen Meister der Madrigalkunst und «Erfinder» der Gattung Oper, Claudio Monteverdi (1567–1643), hat Schaichet – wie bereits erwähnt – das berühmte «Lamento d'Arianna» in der Instrumentation von Carl Orff sowie einen Vesper-Dialog für Orgel, Cello und Streicher aufgeführt, und von Giovanni Gabrieli (zw.1554 u.57–1612 od.13), einem der wichtigsten Komponisten der frühen Instrumentalmusik, hat Schaichet die «Sonata pian e forte» für Blechbläser dirigiert. Daneben ist auch Heinrich Schütz (1585–1672), ein Schüler Gabrielis, der auch von Monteverdis Musik beeinflusst wurde, mit zwei Kantaten und einer Psalmenvertonung in den Programmen vertreten. Und schliesslich taucht auch der vorbachsche Kantatenmeister Johann Rosenmüller (1619–1684) mit einer Kammersonate D-Dur für Streicher und Continuo

◄ *Dieses Szenenbild stammt (wahrscheinlich) von der Aufführung des «Ochsenmenuetts» von Joseph Haydn, welches das Kammerorchester im Stadttheater in Kostümen aufführte.*

ebenso auf wie Dietrich Buxtehude (1637–1707), dessen phantasiereiche, harmonisch kühne Kunst auf Bachs Musik wirksam geworden ist.

Einen breiten Raum in der Programmation nehmen Werke von Johann Sebastian Bach (1685–1750) und von dessen Söhnen ein, hat Schaichet doch mehrmals thematische «Bach-Abende» oder «Reger-Bach-Abende» durchgeführt. Zehn Erstaufführungen von Werken Johann Sebastian Bachs ist denn auch das respektable Resultat dieser intensiven Bach-Pflege, wobei die Erstaufführung des Konzertes für drei Klaviere und Orchester d-moll Nr. 12 BWV 1063 mit den drei renommierten Solisten Irma Schaichet, Emil Frey und Walter Frey, sowie die heute so berühmte Hochzeitskantate «Weichet nur, betrübte Schatten» BWV 202 besondere Erwähnung verdienen. Die Bach-Söhne sind meist mit einem bis drei Werken beim KAZ vertreten: Von Wilhelm Friedemann (1710–1784) erklang ein Konzert für Cembalo und Orchester, von Carl Philipp Emanuel (1714–1788), dem bedeutendsten Repräsentanten des musikalischen Sturm und Drang, war es ein Konzert für Cello, Streicher und Basso continuo (wahrscheinlich Wq 170), und von Johann Christoph Friedrich (1732–1795) erklang der Liederkreis «Die Amerikanerin» für Sopran und Orchester, dessen empfindungsvolle Arietten und das tonmalerische Rezitativ die damals blutjunge Maria Stader durch ihre bereits ausgefeilte Technik und gepflegte Gesangskultur zum grossen Erfolg des Abends machte. Maria Stader sang noch ein weiteres wunderschön programmiertes Konzert mit dem KAZ, und zwar eine Arie aus Mozarts Oper «Il Rè pastore» sowie Kantaten und Lieder von Carl Philipp Emanuel Bach.

Schliesslich ist auch der jüngste Bach-Sohn, Johann Christian Bach (1735–1782), dank den Editionen von Fritz Stein in Schaichets Programmen stark vertreten: von Johann Christian, der einziger Lehrer des Wunderkindes Mozart war und Meister eines sanglich italienischen und galanten französischen Stils, erklang etwa die Sinfonia B-Dur «Lucio Silla» und die Sinfonia Concertante für Violine, Oboe und Orchester.

Von den Zeitgenossen Johann Sebastian Bachs ist das grosse «Dreigestirn» Vivaldi, Händel und Telemann bei der Werkanzahl der Erstaufführungen ziemlich ausgeglichen repräsentiert. Sind es bei Antonio Vivaldi (1678–1741), dem König des italienischen Solokonzertes, neben einem B-Dur Concerto für Orchester tatsächlich zwei Solo-Konzerte – je eines für Cello und Cembalo – so kommt Suiten-Meister Georg Philipp Telemann (1681–1767) mit «nur» einer Suite, einer Solo-Kantate und zwei Konzerten zum Zug. Die Solo-Kantate «Ino» in der Interpretation der vorzüglichen Sopranistin Eva Kötscher-Welti wurde in der SMZ besonders gewürdigt: «Als musikhistorisch interessante Ausgrabung erwies sich die Solokantate 'Ino' auf einen mythologischen Text von Ramler von G. Ph. Telemann (eingerichtet von Karl Straube). In ausgedehnten, reichbewegten Rezitativen und Arien wird die Götterfabel musikalisch abgehandelt, es fehlt nicht an kräftigen, anschaulichen Effekten in den Rezitativen, an lieblicher, leichtfüssiger Melodik in den Arien. ... Solistin, Dirigent und Orchester boten alles musikalisches Temperament auf, um das Stück in seinen gegensätzlichen Phasen auszugestalten.»[24]

Georg Friedrich Händel (1681–1767) schliesslich, dessen grossräumige Melodik vom italienischen Belcanto geprägt ist, sind fünf Erstaufführungen gewidmet, wobei neben einem «Doppelchörigen Orchesterkonzert in zwei Sätzen» mit der vergnüglich-volkstümlichen «Alla Hornpipe» auch die Pflege der Meisteroper «Alcina» besondere Beachtung verdient, stellte Schaichet dem Zürcher Publikum doch in zwei Konzerten die packende «Traummusik» und die Ouvertüre zu dieser erst in jüngster Zeit wieder aufgeführten Oper vor. Neben Händel, der die Neapolitanische Schule deutscher Prägung vertritt, fehlen auch die Neapolitaner selber nicht, sei dies Giovanni Pergolesi (1710–1736) oder der Spätneapolitaner Giovanni Batista Sammartini (1700/1–1775), der sich als Wegbereiter der neuen Instrumentalmusik durch Ausbildung beweglicher Themen einen Namen gemacht hatte. Als Besonderheit sei schliesslich auch noch Gregor Joseph Werner (1693–1766) erwähnt, dessen «Neuer und curioser Musikalischer Instrumental-Calender» Schaichet bereits in Jena unter Fritz Steins Aegide erlebt hatte.

Ein besonderer Schwerpunkt von Schaichets Schaffen galt dem wenig bekannten Gottfried Heinrich Stölzel (1690–1749),

von welchem drei Werke in Erstaufführungen in Zürich erklangen. Von diesem Repräsentanten des musikalischen Spätbarock, der mit Erfolg italienische Stilelemente mit deutscher kontrapunktischer Schreibweise verband, verdient das ausladend angelegte Konzert für 6 (!) Trompeten, Pauken und Orchester be-

*Eine Feier des KAZ nach einer Aufführung mit dem Wunderkind Annie Fischer im Zunfthaus zur Waag. Die jugendliche Pianistin sitzt in der Mitte mit Blumenkorb und wird von Irma und Alexander Schaichet flankiert.*

sondere Erwähnung, das den enthusiastischen Schaichet von der Besetzung her an die Grenzen des finanziell und künstlerisch Machbaren führte.

Die Übergangzeit vom Barock zur Klassik war beim KAZ vielfältig vertreten, sei es durch Florian Leopold Gassmann (1729–1774), der bereits Tendenzen zur liedhaften Melodik des vorklassischen Stils aufweist, sei es durch eine Sinfonia G-Dur von Christoph Willibald Gluck (1714–1787) oder durch zwei Solo-Konzerte von Carl Ditters von Dittersdorf (1739–1799), den man heute, genau wie Gluck, vor allem noch als Opernkomponisten – etwa des «Doktor und Apotheker» – kennt. Ein besonderes Kleinod war das Violinkonzert von Luigi Boccherini

(1743–1805), das in der meisterhaften Interpretation von Stefi Geyer bei Publikum und Presse grossen Erfolg verbuchte. Interessant ist schliesslich auch die Präsenz der Mannheimer Schule, die an der Entwicklung der vorklassischen Instrumentalmusik massgebenden Anteil hat. Mit der Sinfonie c-moll für Streicher und Continuo ist Franz Xaver Richter (1709–1789), der Hauptrepräsentant dieser musikalischen Richtung, ebenso vertreten wie Richters Schüler Carl Stamitz (1745–1801) und dessen Vater und Begründer der Mannheimer Schule, Johann Stamitz (1717–1757), von dem Schaichet zwei Sinfonien aufführte.

Alexander Schaichet hat bei der Programmation für das Kammerorchester Zürich sicher wenig auf eine gezielte Pflege gewisser Komponisten oder Stilrichtungen gebaut, ja auf eine Kontinuität bauen können, da er allzu sehr darauf angewiesen war zu spielen, was auf dem Notensektor zu beziehen war. Trotzdem sind interessante Werke und Komponisten auszumachen, die er dem Zürcher Publikum und der Musikwelt im Bereich der Alten Musik erschlossen hat.

## Neue Musik

Was die Zeitgenössische Musik betrifft, liegt die Sache etwas anders: Hier hat Alexander Schaichet durch unermüdliche Eigeninitiative Komponisten zu neuen Werken animiert und diese dann aufgeführt, oder er hat durch Kontakte mit anderen Künstlern und Mäzenen bereits uraufgeführte Werke durch ebenso verdienstvolle Erstaufführungen zu weiterer Pflege und Beachtung verholfen. Diese echte Pionierleistung ist nicht hoch genug einzuschätzen, zumal er und das KAZ damals mit denkbar rudimentären Mitteln arbeiteten. So mussten die einzelnen Orchesterstimmen der meisten Werke durch Mitglieder des KAZ oder durch Schaichet selber aus der einzig vorhandenen Handschriftenpartitur in mühsamer Kleinarbeit abgeschrieben

*Einen besonderen Erfolg feierte Alexander Schaichet mit der Aufführung der «Zeitgenössischen Grotesken» im Stadttheater (heute Opernhaus) Zürich.*

werden. In den Proben wurden dann Kopistenfehler besprochen und ausgemerzt.

Das Risiko der Uraufführung eines Werkes ist naturgemäss nicht voll kalkulierbar, und bei Alexander Schaichet kam hinzu, dass er von den Komponisten – wohl etwas allzu gutgläubig und bescheiden – annahm, was ihm angeboten wurde. Etliche der aufgeführten Werke waren daher von minderer Qualität und ernteten in der Presse zum Teil auch harsche Kritiken. So bezeichnete der Rezensent der SMZ die «Archaischen Tänze» für kleines Orchester von Erwin Lendvai etwa schlichtweg als «ungeniessbar». Doch gerade darin ist, so paradox dies auch klingen mag, ein wichtiges Qualitätsmerkmal von Schaichets Schaffen begründet, weil er bei jungen Komponisten stets das Risiko des Scheiterns auf sich nahm und einkalkulierte. Damit bot er mit dem KAZ diesen noch suchenden Komponisten ein wertvolles Experimentierfeld, wo sie ihre Fähigkeiten ausprobieren und schulen konnten. Dass es sich dabei vorwiegend um Schweizer Komponisten handelte, hing damit zusammen, dass diese in Schaichets Wirkungs- und Reichweite lagen. Bei ausländischen Komponisten dominieren eindeutig die Erstaufführungen, wobei auffällt, dass Schaichet viele später von den Nationalsozialisten als «entartet» abgestempelte oder wegen ihres

---

Z Ü R C H E R  S T A D T T H E A T E R

Samstag, den 22. März 1930, abends 8 Uhr

*Jubiläums-Aufführung des Kammerorchesters Zürich*

## Zeitgenössische Grotesken

Regie: *Paul Trede.* Musikleitung: *Alexander Schaichet*

Erstaufführungen

1. *Akustische Filmschau für Hellseher* . . . . . . . . . . Musik von Darius Milhaud
2. *„Ain't she sweet" und durch die Zeitlupe* . . . Emmy Sauerbeck und Madeleine Gascard
3. *Surdadaistische Realdichtung* . . . . . . . . . . . . . . . . . Kurt Schwitters
4. **Hin und ʞɔnɹnz** . . . . . . . . . . Sketch von Marcellus Schiffer. Musik von Paul Hindemith

P e r s o n e n :

| | | | |
|---|---|---|---|
| Robert . . . . . . . . . | J. Schnaiter-Wander | Der Krankenwärter . . . . . . | Fritz Stüssi |
| Helene, seine Frau . . . | Edith Liebmann-Ris | Das Dienstmädchen . . . . | Roberta Schmid |
| Tante Emma . . . . . . . . | Anita Maggi | Ein Weiser . . . . . . | Max Kremer |
| Der Professor . . . . . . . | Georg Oeggl | Ort: Ein Zimmer — Zeit: Gegenwart | |

PAUSE

*Fortsetzung des Programms siehe Seite 4*

Judentums verfolgte und verbotene Komponisten besonders intensiv pflegte. Als Spezialitäten fallen beim KAZ besonders auf, dass einerseits die Komponisten ihre neuen Werke oft auch selber dirigierten, andererseits Schaichet gerne programmatische Schwerpunkte setzte: «Slawische Musik», «Neuromantische Musik», «Russen der Gegenwart», «Heitere Musik» oder «Schweizer der Gegenwart» lauteten etwa die Titel von Konzerten, die der Zeitgenössischen Musik gewidmet waren.

Überschaut man die gesamte Programmation des Kammerorchesters Zürich im Bereich der Neuen Musik, so erhält man auch hier einen faszinierenden Einblick in die Anfänge dieser neuentdeckten Gattung. Die Kammerorchester-Formation als kleineres, bewegliches Ensemble mit einem viel kompakteren Klang signalisierte ja die Abkehr vom romantischen Wagner-Orchester und brachte damit in neuen Werken einerseits eine Rückbesinnung auf die ältere Musik durch Formenbezeichnungen wie Serenata, Fuga, Concerto oder Divertimento, andererseits eine andere Zusammensetzung und solistischere Verwendung der Instrumente, oft unter Einbezug der Stimme. Beide Aspekte werden in der Programmation des Kammerorchesters Zürich deutlich sichtbar.

## Schweizer Musik

Die Schweizer Musik war erst um die Jahrhundertwende zum vollen Bewusstsein ihrer selbst erwacht, wofür die Gründung des Tonkünstlervereins 1900 als signifikantes Datum dieses Prozesses steht. Die erste Generation von Schweizer Komponisten mit Hans Huber, Friedrich Hegar, Hermann Suter, Volkmar Andreae und Fritz Brun war allerdings noch stark der deutschen spätromantischen Tradition verpflichtet, wie aus der Beurteilung des Tonkünstlerfestes 1914 durch Ernst Isler hervorgeht: «Abglanz der Romantik» bei einigen Aelteren, zu denen damals schon Hegar und Huber gehörten, im übrigen aber «wogte, brandete und klärte sich die Musik des Festes vorherrschend in der Richtung des neudeutschen Stiles» und damit in der Nachfolge Richard Wagners.[26]

«Eine entscheidende Stilwende kündet sich erst nach dem Weltkrieg als Folgeerscheinung der Erschütterungen im europäischen Geistesleben an», wie Willi Schuh in seiner «Geschichte der Musik in der Schweiz» schreibt, und sie fällt mit dem Beginn der Tätigkeit von Schaichet in Zürich zusammen. Tatsächlich hat Schaichet, der mit dem Kammerorchester Zürich zu einem wichtigen Anreger für Schweizer Komponisten geworden ist, zahlreiche Werke dieser zweiten, um die Jahrhundertwende geborenen, nach neuen Ufern strebenden Generation uraufgeführt und so Wesentliches zur Ausprägung und Verfestigung eines neuen Stils der Schweizer Musik beigetragen.

An erster Stelle ist da Robert Blum (1900–1994) zu nennen, dessen Schaffen Schaichet von Beginn an tatkräftig unterstützte und dadurch zu einem wichtigen Mentor im Werdegang des Komponisten wurde.[27] Nicht weniger als sechs Uraufführungen und zwei Erstaufführungen waren das Resultat dieser fruchtbaren Zusammenarbeit, die am 29. September 1927 mit der Uraufführung der 3. Sinfonie ihren Anfang nahm. Blum komponierte das Werk auf Anregung von Schaichet, der kurioserweise auch einen Klavierpart für seine Frau Irma erbat. Und so ist – ganz ungewöhnlich für eine Sinfonie – im dritten Satz, einem mit «Presto» überschriebenen Variationssatz, das Klavier als Orchesterinstrument eingebaut. Um die Qualität des Orchesters zu prüfen, habe er, so Blum augenzwinkernd, in diesem Satz zudem schwierigste rhythmische Strukturen mit taktüberschreitenden Triolen eingebaut. Kompositorisch am wertvollsten sind wohl die Schaichet und dem KAZ gewidmeten «Vier Psalmen für Sopran und Kammerorchester», die am 6. April 1933 uraufgeführt wurden. Die Psalmen fanden schnell Eingang ins Konzertrepertoire, wurden auch an wichtigen Anlässen wie am IGNM-Fest in Barcelona und am Tonkünstlerfest in Rheinfelden gespielt und brachten Robert Blum grosse Anerkennung. Die hohe Qualität des Werkes würdigt auch Willi Schuh: «Die musikalische Gestaltung erscheint sorgfältiger, durchdachter, aber auch 'gefühlter' als in früheren Werken. Das Lineare, das übrigens auch starke rhythmische Impulse kennt, mündet neuerdings auch überzeugender in harmonische

Verdichtungspunkte, von denen zwingende Wirkungen geistiger Art ausgehen. Blum hat kaum je solch innerliche, das will auch heissen innerlich gehörte Musik geschrieben wie in diesen vier Psalmen, von denen namentlich der in dreistimmigem Streichersatz gehaltene 127. und der im wesentlichen von Bläsern getragene 131. für eine sehr erfreuliche Konzentration und Steigerung des Blumschen Schaffens zeugen.»[28]

Robert Blum war Anfang der 20er Jahre in Berlin Schüler von Ferruccio Busoni, der mit seiner Idee der «neuen Klassizität» und mit seiner kontrapunktischen Lehre nicht nur bei diesem, sondern auch bei Luc Balmer, Walter Geiser – beide waren ebenfalls Busoni-Schüler – oder bei Reinhold Laquai Spuren hinterlassen hat. Alle diese Komponisten figurieren mit je einer Uraufführung in den Programmen des KAZ. Ist es von Reinhold Laquai (1894–1957) die dem KAZ gewidmete Suite für Streichorchester op. 55, bei der auch Einflüsse Max Regers zu erkennen sind, so bei Luc Balmer (1898) die «Symphonische Suite für Streichorchester» und bei Walter Geiser (1897–1993) das Konzert für Orgel und Kammerorchester op. 30, das von der Balance konstruktiver und expressiver Gestaltungselemente lebt und deutliche Nachwirkungen der Bachschen Orgelkunst erkennen lässt.

Zwei der bedeutendsten Komponisten der zweiten Generation, welche die Schweiz hervorgebracht hat und bei welchen auch Alexander Schaichet als «Mit-Wegbereiter» genannt werden muss, sind Paul Müller-Zürich und Willy Burkhard. Bei Paul Müller-Zürich (1898–1993), dem wegen der Wiederaufnahme barocker Satzformen auch das Attribut «Neobarock» zugedacht wurde, hat Schaichet und das KAZ in den dreissiger Jahren bei dessen Abwendung vom grossen Orchester und seiner Suche im kammerorchestralen Bereich Entscheidendes beigetragen.[29] Vier Uraufführungen zentraler Werke im Schaffen des Komponisten und eine Erstaufführung waren die reiche Ausbeute dieser engen und überaus fruchtbaren Zusammenarbeit. Welche Bedeutung Schaichet und dem KAZ für Müller-

*Robert Blum (um 1930), von dem Alexander Schaichet nicht weniger als sechs Uraufführungen bestritt.*

So waren wir, als wir Ihnen,
liebe Frau Schaichet u. Ihrem Gatten
durch Orgelkonzert und
Psalmenmusik
nahe kamen.

Hedwig Müller-Welti.
Paul Müller

*Widmungs-Karte für Irma Schaichet vom Komponisten Paul Müller-Zürich und seiner Frau, der Sängerin Hedwig Müller-Welti.*

Zürichs Schaffen zukommt, illustriert das auf Anregung Schaichets entstandene erste «gemeinsame» Werk, des «Concerto f-moll» für Viola und kleines Orchester op. 24. Die «Neue Zürcher Zeitung» schrieb am 27. Januar 1935 über dieses «Werk des Wendepunktes», bei dem Schaichet den Solistenpart übernommen hatte und welches der Komponist selber dirigierte: «Auch Paul Müller zeigt sich in seinem f-moll Concerto vom Geiste Bachs und dessen Zeitgenossen, von der Strenge und Wesenhaftigkeit ihrer Satz -und Themenformung beeindruckt, doch weiss er sich in beispielhafter Weise als ein Eigener und als

*Partitur-Handschrift der Psalmenmusik für Sopran und Streichorchester op. 36 von Paul Müller-Zürich, die das KAZ am 26. April 1942 uraufführte.*

ein Musiker unserer Zeit zu behaupten. Wie Müller Zeichnung und Farbe, konstruktive und Ausdruckselemente, Linearität und harmonische Bindung zu einem harmonischen Ganzen zu vereinigen weiss, das bezeugt eine aussergewöhnliche synthetische Kraft, bezeugt starke, ungebrochene Musikalität. ... Zu vollkommener Identität von Form und Ausdruck gelangt Müller im zweiten Satz seines Concerto, einem berceuseartigen Duett von Viola und Oboe, das als ein Stück von glücklichster und stärkster Inspiration das Geistige restlos im Klangsinnlichen zu lösen weiss. ... Das prachtvolle Stück brachte dem Komponisten, der auch als Dirigent völlig überzeugte, einen überaus herzlichen Erfolg.»

Aus einer ähnlichen kompositorischen Grundhaltung heraus entstanden in enger Zusammenarbeit mit Schaichet auch das G-Dur-Violinkonzert op. 25, das Orgelkonzert op. 28 und die Psalmenmusik für Sopran und Streichorchester op. 36, die übrigens die Widmungsträgerin Hedwig Müller-Welti zur Uraufführung brachte.

Nicht ganz so gewichtig ist die Bedeutung Schaichets im Schaffen von Willy Burkhard (1900–1955), doch hat er auch von diesem Komponisten eine Uraufführung sowie drei Erstaufführungen bestritten. Als Zürcher Erstaufführungen spielte

Schaichet den Rilke-Zyklus II op. 20 Nr. 2 – «Lieder der Mädchen» für Sopran, zwei Flöten, Englischhorn, Klavier, Violine und Bratsche –, der von der breiten Klangvielfalt des Orchesters getragen ist, dann das heitere und wunderbar leichte Concertino für Cello und Streichorchester op. 60, sowie die herbe, von feingliedrigem Klangsinn geprägte Fantasie für Streichorchester op. 40. Auf Anregung Schaichets schuf Burkhard die «dem Kammerorchester Zürich und seinem Leiter Alexander Schaichet» gewidmete Toccata für Streichorchester op. 55, die am 30. März 1939 in Zürich mit grossem Erfolg uraufgeführt wurde. Das Werk weist im einleitenden Präludium Anlehnungen an die dreisätzigen Orgeltoccaten von Bach auf – daher rührt wohl auch die Bezeichnung «Toccata» –, während eine spannungsgeladene Arie den Mittelsatz bildet, bei der die erste Geige Trägerin der an Verzierungen reichen Gesangsmelodie ist.[30] Burkhard war von der Tätigkeit des Kammerorchesters Zürich derart begeistert, dass er nach der Uraufführung der Toccata Schaichet gegenüber äusserte, dass er dieses Wirken für eine Mission halte.[31] Weitere Uraufführungen von Werken Willy Burkhards betreffen die Kammermusik, die später noch erläutert wird.

Um diese gewichtigsten Exponenten der Schweizer Musik herum gruppieren sich in den KAZ-Programmen eine stattliche Anzahl andere Komponisten, die mit zentralen Werken ihres Schaffens vertreten sind. Dazu gehört Werner Wehrli (1892–1944), dessen geistvolle und leichtfüssige «Sinfonietta für Klavier, Flöte und Streichinstrumente» bei einem KAZ-Gastspiel in Aarau am 27. Oktober 1929 uraufgeführt und vom Rezensenten des «Aargauer Tagblatts» überschwenglich gelobt wurde: «Wehrlis neuestes grösseres Werk ... ist eine kleine Kammersinfonie für Streichorchester, Flöte, Klavier ...das in der glänzenden Ausführung durch das vortrefflich besetzte 'Kammerorchester Zürich' (Direktion A. Schaichet) und die Solisten Jean Nada (Flöte) und Walter Frey (Klavier) gleich bei seiner erstmaligen Aufführung einen vollen und wohlverdienten Erfolg davontrug. In erster Linie gebührt der Dank des Kom-

*Partitur-Handschrift der Alexander Schaichet gewidmeten Toccata op. 55 von Willy Burkhard, die das KAZ am 30. März 1939 erfolgreich uraufführte.*

ponisten Herrn Alexander Schaichet, der den geistig bedeutenden Inhalt der vier Sätze umfassend und in Wehrlis bisherigem Schaffen einen Höhepunkt bezeichnenden Partitur in kongenialer Weise zu restlos erschöpfender klanglicher Darstellung brachte.» Emil Frey (1889–1946), der sich vor allem auch als Pianist einen internationalen Namen schuf – etwa bei einem mehrjährigen Aufenthalt in Moskau –, ist mit den Uraufführungen der «Fuge für Orgel und Kammerorchester» op. 65, mit «Bekränzter Kahn» für Sopran, Flöte, Klavier und Streichorchester, einem Werk von grosser Klangvielfalt, sowie mit dem auf Anregung Schaichets entstandenen «Capriccio über zwei russische Volkslieder» für Klavier und Kammerorchester op. 78 vertreten, und vom jungen Solothurner Albert Jenny (1912–1992) hat Schaichet die Erstaufführung der «Konzertanten Musik für Cello und Streichorchester» sowie die Uraufführung des Konzertes für Oboe und Streichorchester geboten. Von Richard Sturzenegger (1905–1976), der Solocellist in Bern war, sind die Uraufführungen des 1. Konzerts und 2. Konzerts für Cello und kleines Orchester sowie eine «Gesangsszene für Alt und Kammerorchester» berücksichtigt – alles Werke, die den Komponisten auf dem Weg zu einem eigenen Stil zeigen –, während der international bedeutende Pianist Walter Rehberg mit der «Konzertanten Musik für Klavier, Klarinette, Horn und Streichorchester» op. 12 präsent ist. Bei all diesen Werken fällt einerseits die grosse Bandbreite der solistisch eingesetzten Instrumente auf, andererseits die häufige Verwendung einer Singstimme – typische Merkmale der Experimente mit der Gattung Kammerorchester in jenen Jahren.

Interessant sind die Alexander Schaichet zugeeigneten «5 Varianten und Metamorphose für Kammerorchester» op. 16b von Meinrad Schütter (1910★), denn die Entstehungsgeschichte des Werkes zeigt exemplarisch, wie Schaichet immer wieder nach Neuem Ausschau hielt, eigene Programminitiativen entwickelte und Komponisten auch Anregungen weitergab. Der damals 28jährige, bei Antoine Cherbuliez ausgebildete Schütter schickte Schaichet eine Folge von Variationen für Klavier zu, worauf der Dirigent dem jungen Komponisten empfahl, diese zu instrumentieren – er griff also gestaltend ein. Schütter erzählt

dazu interessante Einzelheiten: «Schaichet muss die Idee der Metamorphose, die an sich alt, aber wohl lange Zeit verschwunden war und erst durch Richard Strauss und Paul Hindemith wieder als Form Gedanke und Gestalt wurde, interessiert haben. 1938 war ich aber einer der Ersten, wenn auch Unbekannten, der die 'Metamorphose' als Gattungsbegriff verwendete. Klugerweise wollte Schaichet den Titel ändern und statt '5 Variationen', '5 Varianten und Metamorphose' auf das Programm setzen.» Nachdem Schütter das Werk zur Begutachtung eingereicht hatte, verstrich etwelche Zeit, bis ihm Schaichet in einem für das Denken des Dirigenten aufschlussreichen Brief schrieb: «Endlich kann ich ihnen ein wenig berichten. Im Augenblick der Erinnerung an das Werden Ihrer Orchestervariationen, kam ihnen vielleicht auch meine Wenigkeit in den Sinn... Vielleicht dachten Sie ungefähr so: 'Schaichet erspürte mein Wesen und lässt diesen Eindruck nicht fallen. Sonst würde er sich in seinem Hang nach dem Abwegigen und Eigenen untreu werden.» Das Werk wurde dann von Schaichet am 30. März 1939 uraufgeführt und fand derart Anklang, dass Hermann Scherchen die «Varianten» mit dem Studioorchester Beromünster in der Reihe «Das neue Werk» aufführte – es wurde dann 1946 von Radio Beromünster ausgestrahlt.

Ein letzter wichtiger Schweizer Komponist, der vom Kammerorchester Zürich regelmässig gepflegt wurde, ist Albert Moeschinger (1897–1985). Dieser war, wie Willy Burkhard, ein entschiedener Vorkämpfer der neuen Musik, der auch im Ausland Anerkennung fand. Mit Moeschingers eigenwilligem Stil machte Schaichet in Zürich etwa durch die Erstaufführung des zigeunerisch anmutenden Konzertes für Violine und Streichorchester op. 40 bekannt, das auch dank der hingebungsvollen Interpretation des Solisten Walter Kaegi viel Lob erntete, sowie mit «Prélude et dialogue» op. 47 für zwei Männerstimmen und Orchester nach einem Text von Robert Crottet, das vom jungen Ernst Häfliger (Tenor) und von Paul Sandoz (Bariton) überragend gestaltet wurde. Wiederum auf Anregung

*Der Komponist Albert Moeschinger, der Anfang der 30er Jahre eng mit Alexander und ▶ Irma Schaichet zusammenarbeitete.*

von Schaichet komponiert wurden die ihm auch gewidmeten «Variationen und Finale über ein Thema von Purcell» op. 32, die am 23. November 1933 vom KAZ uraufgeführt wurden. Dieses zentrale Werk in Moeschingers Schaffen vereinigt die typischen Merkmale der Tonsprache dieses Komponisten auf sich: ein eigenwillig herber Stil gekoppelt mit einer zarten Sensibilität, wobei auch Abschnitte von grosser Klangphantastik darin eingeschlossen sind. Zu diesem Werk ist ein Brief Moeschingers an Schaichet erhalten, der interessante Aufschlüsse über das Werk selber, aber auch über die intensive Zusammenarbeit von Komponist und Dirigent gibt. Was das Werk betrifft, schreibt Moeschinger etwa: «Ich wünschte das Stück eigentlich von einem grossen Streichorchester interpretiert, nur so kann es die originale Wirkung haben, die mir unablässig vorschwebt!» Daneben gibt Moeschinger letzte Korrekturen an der Partitur bekannt, fragt aber etwa auch: «Haben Sie nichts dagegen, wenn ich hie und da Ihre sinnvollen Satzbezeichnungen, resp. Überschriften drucken liesse?» Es zeigt sich in diesem Brief, wie stark sich Schaichet bei der Erarbeitung eines neuen Werkes einsetzte, wie intensiv er mit dem Komponisten zusammenarbeitete und eigene Ideen einbrachte, sodass Moeschinger in seinem enthusiastischen Schlussfazit der Uraufführung schreibt: «... dass ich in erster Linie auch Ihrer beschwingten Leitung danken möchte, die nicht nur am Abend selber dem Werk zum Erfolg verhalf, sondern auch durch Ihre unermüdliche Probenarbeit mit dem Orchester vorher, das war ich mir schon beim Anhören der Nachmittagsprobe vollauf bewusst! Nun bitte ich Sie im Interesse einer guten Basler Aufführung, die auch meinen Eltern Freude machen soll, mir doch die Partitur mit Ihren kongenialen Ideen versehen, zuzustellen, damit ich noch einiges davon nach Basel mitteilen kann, denn ich bin der Ansicht, dass die Ausstrahlungen der Zürcher Uraufführung auch annähernd den Baslern zugute kommen soll, es bleibt dann immer noch der letzte, und vielleicht beste, unübertragbare Rest Ihrer Art, so einzigartig unmittelbar zu musizieren dauernd an die Zürcher Aufführung gebunden.»

Interessant ist die Erwähnung einer Basler Aufführung des Werkes. Tatsächlich hat Paul Sacher Moeschingers «Variationen und Finale über ein Thema von Purcell» op. 32 nur kurze Zeit später mit dem Basler Kammerorchester am 8. Dezember aufgeführt.

Ebenfalls mit Paul Sacher verknüpft ist die vom KAZ bestrittene Zürcher Erstaufführung des Divertimento op. 34, in welchem «Moeschinger um einen festen Standpunkt zwischen alt-neuer Romantik und einer als neue Klassik zu umschreibenden Stilwelt kämpft.»[32] Das Werk war am 30. Oktober 1934 in Basel von Paul Sacher und seinem Basler Kammerorchester uraufgeführt worden, und Schaichet führte das Werk in Zürich nur knapp einen Monat später ebenfalls auf — eine gegenseitige Absprache muss daher wie im Fall der «Variationen» angenommen werden. Die zwei Werke Moeschingers sind aber nicht die einzigen Werke, bei denen die kurz nacheinander getätigte Ur- bzw. Erstaufführung eine Zusammenarbeit und wechselseitige Inspiration der beiden Musiker Schaichet und Sacher signalisiert, denn gleiches gilt etwa auch für Blums «Vier Psalmen für Sopran und Kammerorchester», Rudolf Mosers Tripelkonzert op. 46, Ernest Blochs «Vier Episoden» für Kammerorchester und für Wolfgang Fortners Konzert für Streichorchester.[33] Es existiert denn auch ein Briefwechsel zwischen Schaichet und Sacher, der diese Vermutung bestätigt, so etwa der folgende Brief Sachers aus dem Jahr 1931: «Ich habe mit Interesse von Ihrem letzten Konzert gelesen und erlaube mir die Anfrage, ob es Ihnen möglich wäre, mir die Partitur zu den 3 Fugen von Ermatinger zur Ansicht zuzustellen, oder durch den Komponisten oder seinen Verlag zukommen zu lassen.» Sacher hat dieses, in Ermatingers Schaffen einen wichtigen Platz einnehmende, Werk noch im gleichen Jahr, am 10. November 1931, mit dem Basler Kammerorchester aufgeführt.

Schaichet schrieb im Oktober 1932 an Sacher einen weiteren Brief, der einen interessanten Einblick in sein Denken gibt: «Walter Frey erzählte mir seinerzeit von dem Paradieszustand, den Sie mit den Solobläsern der Musikgesellschaft haben. — Vor allem, was die pekuniäre Frage anbetrifft. ... Wir sind momentan damit beschäftigt, auch hier ein 'Paradies' herzurichten ... Sie wissen gar nicht, wie ich Sie um die Stosskraft beneide. Wenn man Ihre Programme liest, merkt man erst, in welch tiefem 'zeitgenössischen' Schlaf wir uns in Zürich befinden ... Ob wir je wieder daraus erwachen...». In einem anderen Brief Schaichets an Sacher schreibt er im Vorfeld eines Gastspiels des BKO in Zürich: «Es wäre mir auch angenehm zu erfahren gewesen, wo Sie nach dem Konzert sich zu einem gemütlichen Beisammensein zusammenfinden; es würden sicherlich einige unserer Mitglieder sich mit Ihnen über gemeinsame Ziele und Freude am Kampf gegen die Starrheit und Tradition aussprechen wollen.»

Alexander Schaichet hat aber nicht nur mit dem um 19 Jahre jüngeren Paul Sacher, sondern auch mit anderen Persönlichkeiten aus Musikerkreisen Kontakt gepflegt und dadurch Anregungen für sein Schaffen erhalten. So war Schaichet auch mit dem grossen Winterthurer Mäzen und Pionier der Neuen Musik, Werner Reinhart, bekannt. Ein umfangreicher Briefwechsel zwischen Reinhart und Schaichet, von dem 52 Briefe Schaichets in Winterthur archiviert sind, belegt den recht intensiven Gedankenaustausch zwischen Mäzen und Musiker. Der erste Kontakt stammt bereits vom Mai 1920, als Schaichet Werner Reinhart anfragte, ob er nicht als Klarinettist im Kammerorchester Zürich spielen wolle: «Da ich diesen Körper (KAZ) auf den nächsten Winter auch mit Bläsern versehen will, wäre es für mich eine grosse Genugtuung, wenn Sie mitblasen wollen sollten.» Zwar ist kein Antwortbrief Reinharts erhalten, aber die Tatsache, dass noch mehrere diesbezügliche Anfragen Schaichets über mehrere Jahre verteilt folgen, legt die Vermutung nahe, dass Werner Reinhart tatsächlich gelegentlich im KAZ gespielt hat. Die Beziehung zwischen Schaichet und Reinhart wurde nach diesem Anfang bald intensiver. So trat Schaichet zusammen mit Joachim Stutschewsky und der Pianistin und Lebensgefährtin von Arthur Honegger, Andrée Vaurabourg, im September 1922 in einem der legendären Hauskonzerte bei Reinhart in Winterthur auf. Gespielt wurden Sonaten von Honegger und Egon Wellesz und das Duo für Violine und Violoncello von Maurice Ravel. Im Juni 1923 trat

*Gästebucheintrag beim Musikkollegium Winterthur. Zu erkennen sind die Unterschriften von Andrée Vaurabourg, Joachim Stutschewsky und Alexander Schaichet.*

Reinhart dann als Passivmitglied dem KAZ bei und zahlte bei einem geforderten Mindestbetrag von 15 Franken jährlich 100 Franken in die Vereinskasse. Dies signalisierte den Beginn des mäzenatischen Wirkens von Reinhart für Schaichet, hat er doch von diesem Zeitpunkt an in loser Folge auch Konzerte des KAZ mit Zeitgenössischer Musik finanziell unterstützt. Im selben Jahr folgte die Gründung der IGNM, bei der sowohl Schaichet als auch Reinhart beteiligt waren, und so erstaunt es nicht, dass Reinhart 1926 beim IGNM-Fest in Zürich das Defizit bei Schaichets Aufführung von «Meister Pedros Puppenspiel» berappte. Interessant ist auch ein Briefwechsel von Reinhart mit dem Komponisten Ernst Křenek, der belegt, dass Reinhart seinem Zürcher IGNM-Kollegen die Aufführung von Křenek Werk «O Lacrimosa» für Sopran, Holzbläser und Harfe empfohlen hatte und auch bezahlte. Das Kammerorchester Zürich führte das Werk im Oktober 1930 mit der vorzüglichen, international angesehenen Sopranistin Clara Wirz-Wyss im Kleinen Tonhallesaal auf, worauf Křenek an Werner Reinhart schrieb: «Dass die Rilke-Lieder wieder aufgeführt wurden und Ihnen von neuem einen guten Eindruck hinterlassen haben, freut mich sehr. Es wäre sehr schön, wenn Scherchen einmal die instrumentale Fassung machen wollte, er wird das gewiss noch ganz anders herausarbeiten, ganz zu schweigen von Ihren vorzüglichen Bläsern.» Tatsächlich führte Hermann Scherchen das Werk im Dezember 1932 mit der Sängerin Lucy Siegrist auch in Winterthur auf.

Křenek, von dem Schaichet auch das Concertino für Flöte, Violine, Cembalo und Streichorchester op. 27 erstaufführte, war aber keineswegs der einzige ausländische Komponist, den Schaichet in Zürich vorstellte. Es sind im Gegenteil eine ganze Reihe international renommierte Komponisten, die der Dirigent in Zürich mit sehr wichtigen Erstaufführungen bekannt machte – eine Tatsache, die bisher in der Fachliteratur weitgehend ignoriert worden ist.

*Béla Bartók zur Zeit der Basler Uraufführung seiner «Musik für Saiteninstrumente, Schlagzeug und Celesta» bei Paul Sacher im Haus Schönenberg in Pratteln. Kurz danach wurde das Werk durch Alexander Schaichet in Zürich erstaufgeführt.*

## Internationale Komponisten

Alexander Schaichet hat sich genauso stark für die internationale Szene engagiert wie für die Schweizer Komponisten. Ein Schwerpunkt seines Schaffens galt Béla Bartók (1881–1945), von dem er kurz nach der jeweiligen Basler Uraufführung – wohl wiederum in Absprache mit Paul Sacher – die klangintensive Musik für Saiteninstrumente, Schlagzeug und Celesta und das Divertimento, das mit seinem klassizistischen Formtyp und den raffinierten Reminiszenzen an ungarische Volkslieder besonders fasziniert, in Zürich erstaufführte – was Werner Fuchss in seinem Buch «Béla Bartók und die Schweiz» nicht erwähnt. Wie seriös und künstlerisch hochstehend Schaichet dabei vorging, zeigt einerseits die Tatsache, dass Schaichet seinem Publikum jeweils einen Einführungsvortrag von Antoine-Elisée Cherbulliez, seit 1932 erster Leiter des Musikwissenschaftlichen Seminars der Universität Zürich, zu den doch sehr neuartigen Werken anbot, andererseits aber auch die enthusiastische Kritik in der SMZ: «Ungewöhnlich haftende Eindrücke zeitigte das in seinem ersten Programmteil überaus gehaltschwere erste reguläre Konzert des von Alexander Schaichet treu gehegten Zürcher Kammerorchesters... Die Einstudierung eines geistig so anspruchsvollen Werks wie die auch technisch recht hohe Anforderungen stellende 'Musik für Saiteninstrumente, Schlagzeug und Celesta' von Béla Bartók ... muss schon deshalb als besondere Grosstat gepriesen werden, weil der Aufführung dieser kostbaren Komposition überraschende Geschlossenheit, Formenplastik und innere Lebendigkeit nachzurühmen war. ... Schade dass sich der enthusiastische Beifall des wachen Auditoriums nur die Wiederholung des letzten Satzes und nicht gleich eine Gesamtrepetition erzwingen konnte.»

Gar einen integralen «Béla Bartók-Abend» veranstaltete Schaichet am 3. April 1941 zur Feier des 60. Geburtstags des Komponisten. Gespielt wurden vom KAZ und den Solisten Walter Frey (Klavier) und Desider Kovác (Gesang) zehn Volkslieder, Sechs Rumänische Volkstänze aus Ungarn, 14 kleine Stücke aus der Sammlung «Für Kinder» und als Höhepunkt das Divertimento für Streichorchester, das bereits einen Monat

*Die «alte» Zürcher Tonhalle, in deren Kleinem Saal Alexander Schaichet mit dem Kammerorchester Zürich die meisten Konzerte veranstaltete.*

früher in einem regulären Abonnementskonzert aufgeführt worden war.

Besondere Leckerbissen anderer Komponisten waren die Erstaufführung von Carl Nielsens (1865–1931) Klarinettenkonzert op. 57, ein Stück von effektvoller Originalität, sowie Arnold Schönbergs (1874–1951) Orchesterfassung der «Verklärten Nacht» op. 4. Die Aufführung von Schönbergs symphonischer Dichtung kann als bedeutende Leistung bezeichnet werden, obwohl die Ausführung nach Kritikermeinung das Vermögen des Orchesters überstieg, denn die Widerstände in Zürich gegen den Wiener «Musik-Revolutionär» waren zu dieser Zeit noch enorm.

Ein interessanter Komponist, den Schaichet regelmässig pflegte, ist Wolfgang Fortner (1907–1987), von dem er eine Ur- und drei Erstaufführungen dirigierte. Fortner, den Schaichet persönlich kannte, zeigt in seiner Entwicklung eine spannungsvolle Polarität: «Auf der einen Seite die Kräfte des zähen Festhaltens am Überkommenen, die ihm im konservativen Milieu seiner Vaterstadt Leipzig begegneten, auf der anderen der Aufbruchlärm der internationalen Musikwelt.»[34] Als erstes Werk stellte Schaichet Fortners Schlüsselwerk der Lehrjahre, «Fragment Mariae», kurz nach der Uraufführung am Königsberger Rundfunk, im Oktober 1930 in Zürich vor. Die symmetrisch angelegte Kammerkantate trägt alle Merkmale der Fortnerschen Jugendwerke: linearer Kontrapunkt, mehr Linie als Farbe, formale Strenge. Diese Stilmerkmale sind auch charakteristisch für das Konzert für Orgel und Streichorchester, das, von Hans Rosbaud 1932 in Frankfurt uraufgeführt, von Schaichet unmittelbar darauf nachgespielt wurde. In diesem Werk, das Fortner 1935 für Paul Sacher zu einem Konzert für Cembalo umschrieb, verlässt dieser die Tradition des Solokonzertes und wählte anstatt der üblichen Titel- und Tempoangaben die barocken Bezeichnungen Präludium, Passacaglia und Fuge. Ein besonderer klanglicher Reiz ergibt sich aus dem blockartigen Wechsel von Soloinstrument und Orchester.

Interessant ist schliesslich das «Concertino für Bratsche und kleines Orchester», das unter der persönlichen Leitung von Fortner und mit Alexander Schaichet als Solisten am 24. Januar 1935 in Zürich uraufgeführt wurde. Der Rezensent der NZZ schrieb damals über dieses Concertino, das übrigens im Werkverzeichnis von Fortner nicht aufgeführt ist (!), am 27. Januar 1935: «Als unbeschwertes, musizierfreudiges Schlussstück sprach Wolfgang Fortners Concertino ... höchst sympathisch an. Ein keckes Trompetensignal ruft Tutti und Solobratsche (zu der sich für eine kleine Wegstrecke gelegentlich auch noch andere Soloinstrumente gesellen) zu launigem Konzertieren mit leicht geschürzten und einprägsamen Themen auf, wobei in ein paar zart-flüssigen Concertino-Momenten eine Transparenz gewonnen wird, die tiefere seelische Bereiche ahnen lässt. Ein delikat abgedämpfter Mittelsatz, ein eindringliches, von den Oboen in eigenwilligen Sekundfolgen begleitetes Bratschensolo, mündet nach kurzer Kadenz in ein unaufhaltsam dahinwirbelndes, die Sonatenform mehr nur andeutendes Schlussallegro, das gleich dem ersten Satz die Bratsche durch die Helligkeit der Tuttigrundfarbe ausgezeichnet zu isolieren weiss.»

Die von Schaichet aufgeführten Werke Fortners waren alle einer gelockerten Tonalität im Sinne Hindemiths verpflichtet, und es wundert denn auch kaum, dass Schaichet in Zürich auch einige interessante Erstaufführungen von Paul Hindemith (1895–1963) selber geboten hat – eine Tatsache, die von Anton Rubeli in seinem Neujahrsblatt «Hindemith in Zürich» gänzlich übergangen wird. So führte Schaichet zweimal die Trauermusik für Bratsche und Streichorchester auf, dazu kam die Kammermusik Nr. 3 op. 36 Nr. 2 – das «Cello-Konzert» – und die Erstaufführung der Kammermusik Nr. 2, op. 36 Nr. 1 – des «Klavierkonzertes»-, die 1931 in der SMZ einen Begeisterungssturm erntete: «Das dritte Konzert des Kammerorchesters vermittelte den Zürchern endlich die Bekanntschaft mit Hindemiths erstem, auf Bach als Ausgangspunkt weisenden Klavierkonzert, in dem das solistisch stark hervortretende Klavier erst im Finale zu einer organisch-polyphonen Bindung mit dem aus acht Bläsern und vier solistischen Streichern bestehenden Kammerorchester gelangt. ...Alexander Schaichet hätte für das Hindemith-Konzert keinen trefflicheren Interpreten wählen können als Walter Frey, der dem äusserst schwierigen Werk restlos gerecht zu werden vermochte. Wie er dem virtuosen Inventionscharakter seines Parts, die geistige Beweglichkeit, aber auch Sprödigkeit dieser Musik zu realisieren wusste, das war meisterhaft.»

Im gleichen Jahr machte Schaichet Zürich auch mit einem witzigen musikalischen Sketch von Hindemith bekannt, und er machte sich damit – was bisher völlig unbekannt war – auch im szenischen Bereich zu einem Verfechter der «Neuen Sachlichkeit» in der Musik.[35] Schaichet spielte im Stadttheater Zürich unter anderem die einaktige vergnügliche Kurzoper «Hin und zurück» op. 45a auf ein Libretto von Marcellus Schiffer. In diesem Sketch erschiesst ein eifersüchtiger Ehemann seine Frau, doch ein die höhere Macht symbolisierender weiser

*Eines der vielen bemerkenswerten Programme, die Alexander Schaichet spielte.* ▶

*Von Wolfgang Fortner spielte das KAZ nicht nur das in nebenstehendem Programm enthaltene «Fragment Mariae», sondern auch die Uraufführung des Concertino für Bratsche und kleines Orchester (24. Januar 1935).* ▶▶

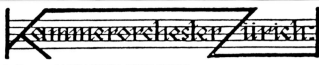

Leitung: ALEXANDER SCHAICHET

TONHALLE • KLEINER SAAL

Mittwoch, den 15. Oktober 1930
abends 8.15 Uhr

Gesang
# Clara Wirz-Wyss

## ERST
## AUFFÜHRUNGEN

1. FUGA für Streichorchester
bearbeitet von Reinhard Schwarz
**HEINRICH KAMINSKI** (geb. 1886)

2. O LACRIMOSA Trilogie für
Sopran und einige Instrumente
**ERNST KŘENEK** (geb. 1900)

3. FRAGMENT MARIA Kammerkantate für Sopran und 8 Instrumente
**WOLFGANG FORTNER** (geb. 1907)

4. SOMMERABEND
**ZOLTÁN KODÁLY** (geb. 1882)

Cembalo
**IRMA SCHAICHET**

Klavier aus dem Hause Hug & Co.

Mann greift «rettend» ein, worauf die ganze Handlung (auch musikalisch) wie ein Film zurückgespult wird. Die Tonsprache Hindemiths, die ganz der in dieser Zeit formulierten «Aesthetik der Gebrauchsmusik» verpflichtet ist, gefällt durch den flotten Tonfall der Unterhaltungsmusik, wobei auch die typische unerbittliche Rhythmik Hindemithscher Prägung nicht fehlt. Das Werk erhält durch das ungewöhnliche Instrumentarium mit sechs Bläsern, zwei Klavieren und Harmonium seine charakteristischen Farben.

«Hin und zurück» wurde in einem mit «Zeitgenössische Grotesken» betitelten Abend zum zehnjährigen Bestehen des KAZ im Stadttheater erstaufgeführt, und zwar zusammen mit weiteren Kleinoden der Opernliteratur: mit der Hindemith gewidmeten «Akustischen Filmschau für Hellseher» von Darius Milhaud (1892–1974), mit den «Akustischen Toninseraten» von Alexandr Mossolow (1900–1973) und mit «Egon und Emilie» von Ernst Toch (1887–1964).[36] Das den sinnigen Untertitel «Kein Familiendrama» tragende Stück von Toch erhält seine groteske Seite durch den Antagonismus zwischen der koloraturbeschwingten Emilie und dem schweigenden Egon, der von einem überwältigend komischen «Bläsergekreisch» begleitet wird. Milhauds Opus dagegen wird durch den für diesen Komponisten typischen grell-parodistischen Ton der 13 Begleitinstrumente zur Groteske. Wie Hindemiths «Hin und zurück», spielen auch diese beiden Kurzopern mit filmischen Techniken, und mit der Verkürzung der Mittel auf ein Minimum – als deutliche Absage an Wagners überlange Musikdramen – zeigen alle drei «Musikdramatischen Werke en miniatur» neueste Tendenzen in der Bühnenmusikproduktion auf. Schaichet machte also auch in diesem Bereich mit aktuellsten Stücken und Ideen vertraut. Diese «Zeitgenössischen Grotesken» vollends zum Erfolg machte das Bühnenbild von Gregor Rabinowitch, ein graphisches Kabinettstück an heiterer Komik, die sorgfältige Regie von Stadttheater-Direktor Paul Trede und der als Conférencier wirkende Kurt Schwitters mit seinen dadaistisch-futuristischen

*Zu den von Alexander Schaichet besonders geschätzten Komponisten gehörte auch Paul Hindemith, der mit mehreren Erstaufführungen in den Programmen des KAZ vertreten ist.*

Darbietungen – Schaichet hatte sich also offensichtlich durch die Zürcher Dada-Bewegung inspirieren lassen.

Dieses bemerkenswerte Gastspiel war bereits der dritte «Ausflug» Schaichets in szenische Gefilde, denn nach de Fallas «Meister Pedro» im Kunstgewerbemuseum gastierte Schaichet und das KAZ bereits 1929 mit drei Kurzopern im Stadttheater Zürich. Dasselbe Leiterteam Alexander Schaichet (Dirigent), Paul Trede (Regie) und Gregor Rabinowitch (Bühnenbild) führte damals «Das Ochsenmenuett» von Joseph Haydn, «Schlaft wohl, Herr Nachbar» von Ferdinand Poise (1828–1892) und «Die Prinzessin auf der Erbse» von Ernst Toch auf. Haydns einaktige Oper ist in Musik und Form ganz dem wienerischen Singspiel verhaftet, bei dem Ensemblesätze, Arien und Duos geschickt verknüpft werden und der Tonfall das schöne Genrebild einer treuherzig-biederen Zeit ergibt. Im oprettenhaften Stil heiterer Bohème-Welt ist das Milieustück «Schlaft wohl, Herr Nachbar» des Offenbach-Schülers Ferdinand Poise gehalten, der darin musikalisch witzig die Komik herausschält, welche sich durch die Situation des «Zubett-Gehens» eines durch die nachbarliche Wand getrennten «Er» und einer «Sie» ergibt. Am meisten Erfolg verbuchte Tochs «Prinzessin auf der Erbse», zu der die SMZ schrieb: «Ernst Toch, der neutönerische Romantiker, hat zu dem Textbuch Benno Elbans eine Musik von Prägnanz, Verve und echt märchenhaftem irrationalem Zaubergemisch geschrieben, die auf Schritt und Tritt den feinsinnigen Lyriker, den geistsprühenden Humoristen, den Meister im orchestralen und vokalen Satz, den neuzeitlichen Polyphoniker verraten. Wie die winzige Erbse unter Bergen von Bettstücken zum Verräter des prinzesslichen Blutes und zum Zauberschlüssel des Prinzenherzens wird, ist mit amüsanter Buntheit illustriert. Regie und Musikleitung schufen im stilisierten Bühnenbild, im Tempo, in der subtilen Unterstreichung jeglichen preziösen Details ein kleines Meisterwerk neuen Stils.»

Weitere Gastspiele des Kammerorchesters Zürich im Stadttheater mit eigenen szenischen Darbietungen haben (leider) nicht mehr stattgefunden, wohl vor allem aus finanziellen Gründen. Trotzdem blieb das KAZ der Zürcher Bühneninstitution während den 23 Jahren seines Bestehens eng verbunden, hat das Orchester doch immer wieder die Bühnenmusik gespielt in so berühmten «Bühnenmusik-Opern» wie «Don Giovanni», «Rosenkavalier», «Makenball» oder «Don Carlos». Damit hat das KAZ dem Stadttheater, das in den Jahren 1920–1940 ständig mit grossen Finanzproblemen zu kämpfen hatte, mit Sicherheit sehr geholfen, denn es war bereit, zu einem günstigen Tarif diese wichtige Funktion zu übernehmen.

Von Ernst Toch hat Schaichet mit dem KAZ aber nicht nur die zwei faszinierenden Kurzopern «Die Prinzessin auf der Erbse» und «Egon und Emilie» aufgeführt, sondern auch bedeutende Werke für Kammerorchester. Der jüdische Komponist Toch, der 1934 nach Amerika emigrierte, gehörte in den 20er und Anfang der 30er Jahre zu den bedeutendsten Komponisten, die an den wichtigsten Festivals für Zeitgenössische Musik vertreten waren. Die Verknappung der Mittel, mit der Toch zu einem Wegbereiter einer «Neuen Einfachheit» wurde, sowie sein leichter, witziger Stil, sind neben den Opern auch in den anderen von Schaichet erstaufgeführten Werken spürbar, im Kammerkonzert für Cello und Kleines Orchester op. 35 und in «Die chinesische Flöte» für Solosopran und 14 Instrumente op. 29.

Sehr gewichtig vertreten in den Programmen des KAZ war natürlich auch der Schaichet-Freund Max Reger (1873–1916), der Klassizist schlechthin, der so viele andere von Schaichet gepflegte Komponisten inspiriert hatte. Von Reger führte das KAZ die wenigen Werke auf, die sich überhaupt für die Kammerorchesterformation eigneten, notfalls durch eigene Instrumentationen: Vier Vortragsstücke aus op. 103a (für Streichorchester gesetzt von Alexander Schaichet), die Suite im Alten Stil op. 93 (für Orchester gesetzt von Max Reger), Präludium und Fuge g-moll op. 117 (für Violinchor eingerichtet von Alexander Schaichet) und das Konzert im Alten Stil für Orchester op. 123. Dazu kamen noch die Reger-Bearbeitungen der Suite D-Dur für Orchester von Johann Sebastian Bach und der Ballett-Musik zu «Rosamunde» von Franz Schubert.

Reger hat auch bei Heinrich Kaminski (1886–1946), einem vom Winterthurer Mäzen Werner Reinhart stark protegierten Komponisten, seine Spuren hinterlassen. Von Kaminski, dessen

Stil durch einen herben Grundklang und eine grosse Vielfalt des Polyphonen gekennzeichnet ist, hat Schaichet denn auch zwei wichtige Werke aufgeführt: die Fuga für Streichorchester und das Concerto grosso für Doppelorchester, das der Komponist auch dirigierte. Kaminskis Werke sind von drei Komponenten geprägt: vom primären musikalischen Einfall, vom inneren Atem und damit den grossen Bögen und vom rastlosen Ringen mit dem Stoff.[37] Besonders interessant ist das Concerto grosso, in dem Kaminski die neuen Möglichkeiten des Komponierens mit einem Doppelorchester erprobte. Der Komponist schrieb über diese neue Technik im Concerto grosso: «Dies drängte sich auf als notwendiges Ergebnis einer lediglich und ausschliesslich auf Polyphonie basierenden Orchesterbehandlung. Es genügt, auf die in diesem Werk mehr und mehr sich ausprägende und immer weitergehende Polyphonie hinzuweisen, die schliesslich nicht nur mehr einzelne Stimmen in sich befasst, sondern endlich in eine Polyphonie von Gruppen mündet, deren Einheiten meist kanonisch zusammengefasst sind... Dass von da aus das Miteinbeziehen des chorischen Elements in den Bereich der Polyphonie nur einen Schritt weiter in derselben Richtung bedeutet, ist wohl klar, und damit wohl auch Sinn und Bedeutung der hier angewandten Besetzung für Doppelorchester.»[38]

Kaminski war keineswegs der einzige, der die neuen Möglichkeiten der Doppelorchesterbesetzung wie Verdoppelung, erweiterte Verwendung der Polyphonie und rhythmische und harmonische Erweiterungen ausprobierte.[39] Einige derartige Werke hat Schaichet in Zürich neben dem Concerto grosso von Kaminski vorgestellt: die Fantasie für doppeltes Streichorchester von Ralph Vaughan Williams (1872–1958), die Musik für Saiteninstrumente, Schlagzeug und Celesta von Bartók und die von Schaichet inspirierte und ihm auch gewidmete Traummusik für zwei Streichorchester von Antal Molnár (1890–1983), einem frühen Verfechter von Bartóks Musik.

Es ist staunenswert, wie es Schaichet immer wieder verstand, neue Strömungen vorzustellen, und wie er immer wieder in sei-

*Den Komponisten Max Reger hatte Alexander Schaichet in seiner Studienzeit in Deutschland kennengelernt. Die Werke dieses Künstlerfreundes hat er zeitlebens gepflegt.*

nen Konzerten thematische Schwerpunkte setzte zu einem Zeitpunkt, als die Programmation noch nicht einen so wichtigen Platz im Konzertleben einnahm. Oft hat er «geographische Programme» gestaltet, wobei er vor allem auch – wie in der Kammermusik schon gezeigt – die Komponisten seiner früheren Heimat, des Ostens, dem Schweizer Publikum erschloss. Von den Russen waren es aus dem 19. Jahrhundert etwa die drei Mitglieder des «mächtigen Häufleins» Nikolaj Rimsky-Korsakow (1844–1918), Alexander Borodin (1833–1887) und Modest Mussorgsky (1839–1881). Ihr gemeinsames Ziel war es, eine von der Vorherrschaft westeuropäischen Einflusses befreite, national eigenständige russische Musik zu fördern und diese auf der Grundlage des slawischen Volksliedes zu erneuern. Von Modest Mussorgsky, dem wohl markantesten Vertreter dieser Richtung, spielte Schaichet die mit kühnen Harmonien nicht geizenden «Lieder und Tänze des Todes» sowie die «Bilder einer Ausstellung» in einer von Schaichet selber für Kammerorchester eingerichteten Orchestration! Es wäre interessant, die Schaichet-Version mit der berühmten Orchestration von Maurice Ravel für grosses Orchester zu vergleichen, doch sind die Noten bei der Auflösung des KAZ-Nachlasses leider verloren gegangen.

Michail Ippolitow-Iwanow (1859–1935), Anton Arensky (1861–1906) und der Rimsky-Korsakow-Schüler Alexandr Glasunow (1865–1936) sind weitere von Schaichet gepflegte Komponisten um die Jahrhundertwende, während eine jüngere Generation mit Alexandr Tscherepnin (1899–1977), der Experimente mit kontrapunktischen Verfahren durchführte, Alexander Gretschaninow (1864–1956) und mit dem Rimsky-Korsakow-Schüler Nikolai Mjaskowsky (1881–1950) vertreten ist. Und selbst der erst in jüngster Zeit im Westen entdeckte Dimitri Schostakowitsch (1906–1975) taucht mit zwei in der Studienzeit entstandenen Stücken für Streicher op.11 in den Programmen auf. Interessanterweise fehlen aber die ganz grossen Namen wie Strawinsky und Prokofjew.

*Grafik von Alexander Schaichet aus den 20er Jahren. Geschaffen wurde sie von dem als Nebelspalter-Karikaturist bekannt gewordenen Gregor Rabinowitch.*

Aus dem übrigen slawischen Raum stammen neben dem schon gewürdigten Bartók auch Leoš Janáček (1854–1928), dessen witziges und mit impressionistischen Klangformen spielendes «Concertino» in der ungewöhnlichen Besetzung von Klavier, drei Bläsern, zwei Violinen und Viola und mit der musikalischen Schilderung verschiedener Tiere besondere Aufmerksamkeit erregte, sowie Zoltán Kodály (1882–1967), von dem Schaichet «Sommerabend» für kleines Orchester aufführte. Und schliesslich seien noch die «Ländlichen Szenen» von Czeslaw Márek (1891–1985) erwähnt, der als polnischer Flüchtling 1915 nach Zürich emigrierte und hier bis zu seinem Tod wirkte. Diese «Ländlichen Szenen» sind sieben polnische Volkslieder für Stimme und Kammerorchester. Sie sind als variierte Strophenlieder komponiert, wobei die ebenfalls typisch östliche, schillernde Orchesterbesetzung mit Flöte, Oboe, Klarinette, Fagott, Horn, Trompete, Posaune und Schlagzeug für besondere Klangwirkungen sorgt. Kein Geringerer als der international berühmte Bariton Marko Rothmüller, der später an der New Yorker Metropolitan Opera wirkte, sang damals unter Schaichet die Solopartie.

## Der Bratschen-Fan und Verdienste um die Pro Musica

Die Programme des Kammerorchesters Zürich zeigen eine faszinierende Bandbreite von nationalen und internationalen Komponisten im Bereich der Alten und Neuen Musik. Durch alle diese Stilrichtungen hindurch zeigt sich aber eine ganz grosse Spezialität von Schaichet, die sich sowohl in den Programmen des KAZ als auch in seinen kammermusikalischen Konzerten nachweisen lässt: seine Liebe zur Bratsche. Der sonore, weiche und breit-tragende Ton dieses Instrumentes entsprach Schaichet offensichtlich besonders, und er war unermüdlich darum bemüht, neue Literatur für dieses Instrument anzuregen. Beim KAZ waren es eine ganze Reihe von Uraufführungen von Komponisten, die im Auftrag und für Alexander Schaichet Werke für Bratsche und Kammerorchester schrieben: Rudolf Moser, Wolfgang Fortner, Paul Müller-Zürich, Paul Kadosa, Walter Lang, Ernst Hess und – als Besonderheit – der sich auch als Komponist betätigende Bariton Marko Rothmüller. Anlässlich eines Konzertes zum 20jährigen Bühnenjubiläum Schaichets, an welchem ausschliesslich Werke für Bratsche allein und für Bratsche und Kammerorchester gespielt wurden, würdigte die NZZ am 27. Januar 1935 das vom Publikum mit Ovationen quittierte Bratschenspiel Schaichets: «Man kennt und schätzt Alexander Schaichets geigerisch gelöstes, klangschönes und empfindungsstarkes Bratschenspiel von vielen Gelegenheiten her. In den von echt konzertantem Geist erfüllten Werken kam es in all seinen leuchtenden Vorzügen zur vollen Auswirkung sowohl nach der technischen wie ganz besonders auch nach der musikalischen Seite. Lebendigkeit und Spannkraft kennzeichnen Schaichets Interpretationen ... in hohem Masse.»

Noch bedeutender und umfassender waren die Aufführungen von Werken mit Bratsche bei der Kammermusik. Die Tochter Schaichets, Mirjam Forster-Schaichet, erinnert sich, wie ihr Vater alle verfügbaren Stücke für Bratsche gespielt habe und

*Mit Simon Goldberg (Mitte), der mit Emanuel Feuermann (links) und Paul Hindemith ein erfolgreiches Trio bildete, konzertierten Alexander und Irma Schaichet regelmässig.*

dann eines Tages der Familie verkündete: «Nun habe ich alles gespielt, was es gibt, von nun an werde ich nie mehr öffentlich Kammermusik mit Bratsche spielen.» Er sprachs und hielt sich von diesem Zeitpunkt an konsequent an sein Versprechen.

Die Reihe der aufgeführten Werke für Bratsche ist lang und eindrucksvoll: die Stücke für Bratsche solo von Honegger, Hindemith, Reger, Kaminski oder Günter Raphael gehören ebenso dazu wie Sonaten für Bratsche und Klavier von Pietro Nardini, Schubert, Sergej Wassilenko, Johannes Brahms, Arthur Honegger, Nikolaj Tschembertschy oder Ditters von Dittersdorf. Dazu kommen die Erstaufführung von Willy Burkhards «Kleiner Serenade für Violine und Viola» op. 15, sowie die Uraufführung der Schaichet gewidmeten Burkhard-Sonate für Bratsche allein op. 59 am 6. März 1940. Erwähnens-wert ist schliesslich auch ein witziges Kammermusikwerk von Robert Blum, das 'Zwölfte Kapitel der Offenbarung Johannis' für Alt, drei Bratschen, Violoncello und Klavier», das am 2. Februar 1933 uraufgeführt wurde. Blum erinnert sich, wie der Bratschen-Fan Schaichet einmal zu ihm gekommen sei, und ihn dazu angeregt habe, ein Werk für drei Bratschen zu komponie-ren: «Diese Idee und die ungewöhnlichen klanglichen Möglich-keiten haben mich so fasziniert, dass ich mich spontan an die Arbeit machte», so Blum lachend zu seinem «Zwölften Kapitel».

Aus diesem Geist und Ideenreichtum heraus, der sich in den Kammermusik-Abenden und den Orchesterkonzerten offen-bart, wurde 1935 die «Pro Musica» als Nachfolgerin der aufgelö-sten Ortsgruppe Ostschweiz der Landessektion IGNM gegrün-det, und zwar von Alexander Schaichet, Robert Blum, Willem de Boer, Adolf Brunner, Walter Frey, Ernst Isler, Hermann Leeb und Willi Schuh. Interessant zu sehen ist, dass die meisten hier aufgeführten Musiker auch regelmässig mit Schaichet zu-sammenarbeiteten. In den von diesem Gremium formulierten Richtlinien der «Pro Musica» wird auch das in Schaichets Wirken mit dem Kammerorchester gewachsene «Credo» spür-

*Partitur-Handschrift des II. Satzes von Willy Burkhards Sonate für Bratsche allein, die er für den Bratschisten Alexander Schaichet komponiert hatte.*

bar, denn die «Pro Musica» machte sich zur Aufgabe, in besonderem Rahmen unbekannte ältere und insbesondere zeitgenössische Neue Musik zu fördern und zu spielen. Gegenüber der heutigen Ausformung der «Pro Musica» fällt auf, wie damals diese Vereinigung ausdrücklich auch die ältere Musik regelmässig pflegte. Das Gründungsmitglied Robert Blum erinnert sich etwa noch genau, wie er, der in Zürich ein Pionier der Monteverdi-Pflege war, mit «Heisshunger» auf die brandneuen Teile der von Gian Francesco Malipiero betreuten Gesamtedition der Werke Monteverdis wartete, die in den Jahren 1926–1942 herausgegeben wurden.

Die Erwartungen an die lose und lockere Vereinigung der «Pro Musica» waren damals hoch, wie aus dem Gründungsbericht in der Schweizerischen Musikzeitung hervorgeht: «Es wäre sehr zu hoffen, dass sich die 'Pro Musica' zu einem festgefügten organisatorischen Rahmen entwickeln könnte, innerhalb dessen sich dann manches zentralisieren liesse, was in unserem reich befrachteten Musikleben zersplittert auftritt oder überhaupt nicht zum Leben oder zur Geltung kommt. Das Wichtigste ist, dass die Programmleitung in hohem Sinne kritisch vorgeht und Mitläufern und Gelegenheitskomponisten keinen Raum bietet: die wesentlichen Namen und die wesentliche Gesinnung unserer Zeit müssen herausgestellt werden!»

Das Gründungskonzert der «Pro Musica» brachte «Deuxième Sonate pour Piano et Violon» von Frank Martin, «Hymnus» für Sopran und Instrumente von Erhart Ermatinger, vier A-capella-Frauenchöre von Conrad Beck, «Vision – Verinnerlichung» für zwei Klaviere von Albert Moeschinger und die von Schaichet einst uraufgeführten «Vier Psalmen» von Robert Blum, wobei die Gründungsmitglieder der Vereinigung als Solisten mitwirkten. Von diesem Zeitpunkt an bot die «Pro Musica» pro Saison ein Generalprogramm mit rund sechs Konzerten an – Kammermusikabende und Orchesterkonzerte –, bei denen Alexander Schaichet als Geiger, Bratschist oder zusammen mit dem KAZ

*Programm des Kammerorchesters Zürich im Rahmen der Konzerte der Pro Musica, die Alexander Schaichet zusammen mit anderen Persönlichkeiten 1935 gegründet hatte.*

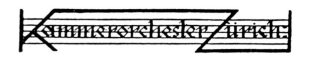

LEITUNG: ALEXANDER SCHAICHET

## TONHALLE   KLEINER SAAL
Donnerstag, den 26. März 1936, 20.15 Uhr

## SCHWEIZER DER GEGENWART
[Im Rahmen der PRO MUSICA]

## III. reguläres
## Konzert

Gesang: **Nina Nüesch**

Violine: **Karl Zimmerli**

Uraufführungen:

**HULDR.-GEORG FRÜH**
(geb. 1903)
**Concerto grosso** für Streichorchester
Allegro / Aria / Allegro molto

**ERHART ERMATINGER**
(geb. 1900)
*Passions-Kantate** für Alt und Streichorchester

**PAUL MÜLLER-ZÜRICH**
(geb. 1898)
*Concerto in G** für Violine und kl. Orch., Op. 25
Moderato; Allegro vivace / Larghetto / Tempo rubato; Vivace

**ROBERT BLUM**
(geb. 1900)
**Zweite Partita** für kleines Orchester 1935
Allegro con spirito / Lento assai ed espressivo / Con moto

Concertino: **Lore Spoerri, Ruth Hermann, Kometa Richner, Gertrud Goos, Margrit Hasler**

*Unter Leitung des Komponisten

KONZERTDIREKTION M. KANTOROWITZ / ZÜRICH

regelmässig mitwirkte. Und so war er auch in diesem Rahmen an interessanten Erst- und Uraufführungen beteiligt.

Ebenfalls im Jahr 1935 übernahm Alexander Schaichet als Nachfolger von Joseph Freund die Leitung des Jüdischen Gesangsvereins «Hasomir». Als Höhepunkt seines langjährigen Wirkens mit diesem Chor muss die Aufführung von Max Ettingers Oratorium «Das Lied von Moses» zur Einweihung des Gemeindehauses im Jahr 1939, sowie das Auftreten im Radio Beromünster 1944 mit Ettingers «Jiddischem Leben» genannt werden. Daneben hat Schaichet auch den Jüdischen Cultusverein «Omanut» zusammen mit Marko Rothmüller gegründet und als erster präsidiert. Rothmüller schrieb dazu einmal im Israelitischen Wochenblatt: «Immer wieder waren Konzerte unter der Leitung von Alexander Schaichet grosse musikalische Erlebnisse, ob er nun – wie in einer 'Hasomir-Perez'-Veranstaltung – Musik Abraham Goldfadens (zu dessen 100. Geburtstag), oder Max Ettingers oder ... Werke Joseph Achrons, Israel Brandmanns (im Jahre 1942 etwa 'israelische' Musik mit dessen 'Variationen über einen palästinensischen Volkstanz' vorausnehmend), Ernest Blochs und vieler anderer vermittelte.»

## Die Landesausstellung im Zeichen des Zweiten Weltkrieges

Die Gründung der «Pro Musica» und die Übernahme des «Hasomir» fielen bereits wieder in eine Zeit wachsender Bedrohung, die mit der Berufung Adolf Hitlers zum Reichskanzler durch Hindenburg am 30. Januar 1933 ihren Anfang nahm. Noch im selben Jahr trat Deutschland unter Hitlers Aegide aus dem Völkerbund aus und läutete damit eines der dunkelsten Kapitel in der Weltgeschichte ein, die den Juden Alexander Schaichet weit mehr bedrohte als noch der Erste Weltkrieg. Der Einmarsch deutscher Truppen in Österreich und der Rücktritt von Bundeskanzler Schuschnigg, der am

13. März 1938 im «Anschluss» Österreichs ans Deutsche Reich und der Regierungsübernahme durch Seyss-Inquart gipfelten, waren weitere traurige Stationen auf dem Weg zum Zweiten Weltkrieg. Und als Joseph Goebbels in der Nacht vom 9. zum 10. November 1938 Ausschreitungen gegen die Juden organisierte, die mit der Abbrennung fast sämtlicher Synagogen, der Zerstörung von rund 7000 in jüdischem Besitz sich befindenden Geschäften und 91 Todesopfern endeten – es war die berühmt-berüchtigte «Kristallnacht» – wurde die akute Bedrohung der Juden in der ganzen Welt endgültig manifest. Bereits vorher musste Schaichet sehr schmerzlich die neu aufziehende Gewaltherrschaft erfahren, unterband doch ab 1935 die Regierung der UdSSR jeden Kontakt mit seiner nach wie vor in Odessa lebenden Schwester: Emilie durfte weder in die Schweiz schreiben noch Briefe oder Pakete empfangen. Sie starb 1950 in Odessa, ohne dass Alexander Schaichet sie je wieder gesehen hatte.

Auf sehr merkwürdige und doch logische Weise ballten sich im Jahr 1939 für Schaichet Herkunft und Wirken zu gewichtigen Konstellationen zusammen, die einmal mehr zeigen, wie

*Der jüdische Gesangsverein «Hasomir», den der in der ersten Reihe (Mitte) erkennbare Alexander Schaichet viele Jahre lang leitete.*

sehr das Leben des jüdischen Emigranten und engagierten Musikers von historischen Ereignissen mitbestimmt wurde.

Durch das Weltgeschehen und die beginnenden Verfolgungen der Juden in ganz Europa war Alexander Schaichet nicht nur als Jude, sondern auch als der Menschenfreund par excellence in seinem Dasein zutiefst erschüttert; wie sehr, geht aus einem Brief vom 16. März 1939 an den Präsidenten des Kammerorchesters Zürich und Professor für Brückenbau an der ETH-Zürich, Fritz Stüssi, hervor, in welchem Schaichet seinen Rücktritt vom KAZ ankündigt: «Zu meinem unendlichen Bedauern fühle ich mich infolge der politischen Ereignisse (besonders der letzten Zeit) gezwungen, meine Tätigkeit als Dirigent des Kammerorchesters Zürich einzustellen. Die Verfolgungen der Minderheiten in Europa, insbesondere die Stempelung der Juden zu Menschen niederer Gattung liessen mich den Entschluss fassen, dieser von mir ins Leben gerufenen und mit Liebe und Hingabe gepflegten Institution den Weg zur freieren Entfaltung nicht zu versperren. Die Einstellung verschiedener Kreise (auch in der Schweiz) geht dahin, Juden keinerlei 'Spitzenstellungen' zuzugestehen, um die rein christliche Kultur nicht zu gefährden. Wie man persönlich zu dieser Einstellung auch seine Gedanken haben mag, die Tatsache kann nicht geleugnet werden. Im Interesse aller jungen Schweizer Komponisten und Interpreten halte ich es für zweckmässig, den Stab und die Geschicke des Kammerorchesters in christliche Hände zu legen. ... Mein Entschluss ist weder dem Sentiment noch der Mutlosigkeit entsprungen, wenn ich auch nicht leugnen will, dass ich lieber jetzt von mir aus gehe, als in absehbarer Zeit auf Grund der gewaltsamen Beschlüsse 'gegangen' werde...»

Das Konzert vom 30. März 1939 sollte das letzte sein, das Alexander Schaichet mit dem KAZ dirigieren wollte. Der groteske und doch typische Zufall wollte es, dass dieses Konzert, das scheinbar letzte des auch in der Schweiz bedrohten jüdischen Dirigenten, ausgerechnet lauter Uraufführungen von Schweizer Komponisten beinhaltete: Meinrad Schütters «Fünf Varianten und Metamorphose» für Kammerorchester op. 16b, das Konzert für Klavier und Kammerorchester op. 27 von Fred

C. Hay und die Toccata für Streichorchester op. 55 von Willy Burkhard. Schaichet hatte – wie dieses Konzert so schön demonstriert – derart viel für die Schweizer Musik geleistet, dass ein solcher Abgang seiner schlicht unwürdig gewesen wäre. Tatsächlich kam es auch nicht soweit, denn er wurde einerseits weiterhin von namhaften Persönlichkeiten der Stadt wie Fritz Stüssi, dessen Schwester Else Stüssi übrigens im KAZ spielte, gestützt. Andererseits stand die Austragung der Landesausstellung 1939 vor der Tür, zu der auch Schaichet Wertvolles und Wichtiges beitragen sollte. Und so dirigierte Alexander Schaichet weiterhin das KAZ.

Die «Landi», die am 6. Mai 1939 durch den in Korpore anwesenden Bundesrat eröffnet wurde, stand angesichts des Nationalsozialistischen Grössenwahnsinns ganz im Zeichen der geistigen Landesverteidigung.[40] Intuitiv präsentierte man ein Bild der Schweiz, mit dem sich jeder Schweizer und jede Schweizerin indentifizieren sollte und konnte: die Höhenstrasse mit den Fahnen aller Schweizer Gemeinden, das «Landi-Dörfli», das vom Publikum als «heimelig» empfunden wurde, die Kantonaltage oder der den technischen Fortschritt symbolisierende «Schifflibach» waren Beispiele dieser geistigen Landesverteidigung. Dass für diese Demonstration der nationalen Identifikation auch die Kultur wichtige Beiträge zu leisten hatte, wird aus der Programmation ersichtlich. An erster Stelle stand da «Das eidgenössische Wettspiel», das Paul Müller-Zürich für diesen Anlass auf einen Text von Edwin Arnet komponiert hatte. Das grossangelegte Werk für mehrere Chöre und grosses Orchester, in dem Teile wie die Schweizerhymne «Eidgenoss, entroll die Fahne» oder «Herr, schenk der Welt den Frieden» kultur-politische Bezüge aufweisen, erforderte die Zusammenziehung aller verfügbaren Kräfte. Und so war denn auch das Kammerorchester Zürich mit Schaichet im Festspiel-Orchester integriert, als der Musikalische Leiter des Spektakels, Max Hengartner, am 6. Mai die Uraufführung dirigierte.

Mit etwelchem Stolz zeigte man damals vor, was die Schweiz an Komponisten zu bieten hatte. So wurde auch das Schweizer Tonkünstlerfest 1939 im Rahmen der Landi in Zürich ausgetragen. Im Musikführer des Tonkünstlerfestes ist ein Aufsatz von

Ernst Isler enthalten mit dem Titel «25 Jahre Schweizerischer Musik – Zwischen den Landesausstellungen von Bern (1914) und Zürich (1939)». Isler präsentiert darin einen interessanten Überblick über die Schweizer Musikszene, wobei er mit der in unserem Essay bereits zitierten Feststellung beginnt, dass die Schweizer Musikproduktion 1914 ein «Abglanz der Romantik» sei oder «in der Richtung des neudeutschen Stils» gehe. Anhand der alljährlichen Tonkünstlerfeste zeigt Isler auf, wie sich aus diesen Anfängen heraus ein eigenständiger Schweizer Stil entwickelt hat, wobei auch die Streich- und Kammerorchester einen gewichtigen Anteil daran hätten. Dass neben Paul Sacher mit dem Basler Kammerorchester und Hermann Scherchen mit dem Stadtorchester Winterthur auch Alexander Schaichet mit dem KAZ für diese positive Entwicklung der Schweizer Musik wichtige Impulse gab, ist klar. Zudem erwähnt Isler speziell auch die Verdienste der «Pro Musica», die in den fünf Jahren ihres Bestehens «gegen zweihundert neue Werke zu Gehör gebracht hat und davon hundert von Schweizer Komponisten, von Burkhard und Beck je zehn, von Brunner acht, Honegger, Blum und Früh sieben, Schoeck und Ermatinger fünf, Moeschinger, Wittelsbach, Lang, Hess vier, u.s.w.» Und so kann Isler – auch dank dem unermüdlichen Schaffen Schaichets – das Fazit ziehen: «An der Ausstellung selbst ist unsere Kunst durch den 'Musik-Pavillon' vertreten. Darin sind Statistiken, Geschichtstabellen zu sehen, ferner Instrumente und Instrumentenbau, Manuskriptvitrinen, Verlagssortimente, Erinnerungen usw. Nach dieser interessanten 'Vorstudie' kann man fast sagen, dass die Zeit einmal reif wäre für eine umfassende schweizerische Musikausstellung.»

Schaichet hat neben Müller-Zürichs Wettspiel auch noch bei anderen Ereignissen an der «Landi» direkt oder indirekt mitgewirkt. So wurden Robert Blums «Vier Psalmen», die Schaichet einst uraufgeführt hatte, durch das Radioorchester Zürich mit Alice Frey-Knecht (Sopran) und Robert Blum (Dirigent) aufgeführt. Das Kammerorchester Zürich unter Leitung Schaichets

*Aufführung von Joseph Haydns «Abschiedssymphonie» mit dem Kammerorchester Zürich in historischen Kostümen im Rahmen der Aktivitäten der Landesausstellung.*

selber gestaltete im lauschigen Rieterpark eine vielbeachtete originale Serenade: Das KAZ spielte Joseph Haydns «Abschieds-Symphonie» in Kostümen und putzigen Perücken aus der Zeit – eine Auftrittsidee, die Schaichet übrigens bereits in Jena unter Fritz Stein kennengelernt hatte.

In dieser Zeit war auch die Bekanntschaft mit zwei gewichtigen Persönlichkeiten der Stadt Zürich für Schaichet sehr wertvoll: Hermann Reiff und Lily Reiff-Sertorius, die dem Musiker schon bei der Einbürgerung 1927 mit dem öffentlichen Brief hilfreich beigestanden waren, und die sich auch jetzt hinter die jüdische Familie stellte.[41] Der Seidenindustrielle Hermann Reiff (1856–1938) war während 28 Jahren von 1907 an Präsident der Tonhalle-Gesellschaft, und er war es auch, der bei der Gründung des Kammerorchesters Zürich eine brisante Rolle spielte. Dies geht aus einer äusserst interessanten Rede hervor, die Alexander Schaichet anlässlich der konstituierenden Versammlung des Kammerorchesters am 25. September 1920 hielt. Schaichet äusserte darin: «Erlauben Sie mir noch in einigen Worten auf den Vorschlag des Herrn Reiff einzugehen, dem wir die heutige Versammlung zu verdanken haben und der die Liebenswürdigkeit hat, heute zu präsidieren. Kurz vor den

Ferien wurde ich von Herrn und Frau Reiff angefragt, ob ich die Ziele, die ich meinem Orchester gesteckt habe, nicht erweitern wolle? Diese Anfrage wurde folgendermassen begründet: 'Das Tonhalleorchester sei derart überlastet, dass viele Wünsche, betreffs seiner Mitwirkung, unerfüllt bleiben müssen. Wenn es gelingen sollte, in Zürich ein zweites Orchester zu gründen, dessen Leistungsfähigkeit imstande wäre, konzertierende Solisten zu begleiten, junge Komponisten zu berücksichtigen, und selten gehörte Werke in gediegener Aufführung zu Gehör zu bringen, so wären die Musikfreunde froh darüber.' Ich glaubte zu hoffen, das Kammerorchester würde diesen Ansprüchen allmählich genügen und freute mich überaus über die interessante Aufgabe. Daraufhin schlug mir Herr Reiff vor, meine bisher private Initiative in einen Verein umzuwandeln.» Hermann und seine Frau Lily Reiff-Sertorius (1866–1958), die sich in Erlangen zur Pianistin und in München zur Komponistin ausbilden liess, wirkten fortan beim KAZ auch als Mäzene. In München studierte Lily Reiff übrigens zusammen mit dem drei Jahre älteren Richard Strauss, der ihr privaten Unterricht in Kontrapunkt erteilte, da Frauen zu dieser Zeit am Konservatorium dieses Fach noch nicht studieren durften.

Das Ehepaar Reiff führte ein überaus gastliches Haus an der Mythenstrasse in einer durch die berühmten Architekten Alfred Chiodera und Theophil Tschudy erbauten wunderschönen Jugendstilvilla. Im sogenannten «Geniehospiz» empfing Lily Reiff als Musikmäzenin jeden Mittwoch Musikerinnen und Musiker und hielt dort grosse Soiree – Fritz Busch, Walter Gieseking, Sigrid Onegin, Bruno Walter oder Richard Strauss gehörten zu den regelmässigen Gästen. Auch Schaichets, denen die grosszügige Hausherrin immer wieder finanziell unter die Arme griff, waren regelmässig im «Geniehospiz» eingeladen und lernten dort zahlreiche Musiker und Musikerinnen kennen; so etwa auch die durch Stefi Geyer beim Ehepaar Reiff eingeführte junge Sopranistin Maria Stader, die dann ja mit dem KAZ konzertierte.

Nach Ausbruch des Weltkrieges am 1. September 1939 beherbergte oder empfing Lily Reiff – genau wie das Ehepaar Schaichet – regelmässig jüdische und politische Flüchtlinge in ihrem Haus. Der berühmteste dieser oft aus dem Osten stammenden Menschen war wohl der damals 27jährige, heute weltberühmte ungarische Dirigent Georg Solti, der in Zürich die Kriegsjahre dank dieser grosszügigen Hilfe überlebte. Solti, der als Pianist 1942 den renommierten internationalen Genfer Musikwettbewerb im Fach Klavier gewonnen hatte, konnte denn auch dank Schaichet eines seiner ersten öffentlichen Konzerte in Zürich mit dem KAZ bestreiten: Am 29. November 1942 spielte er Mozarts Klavierkonzert Es-Dur KV 271. Übrigens haben auch andere Gewinnerinnen und Gewinner des Genfer Wettbewerbes mit dem KAZ konzertiert, so etwa der Pianist Rudolf am Bach und die Sängerin Maria Stader.

Wie gut die Beziehung zwischen Schaichet und Lily Reiff war, zeigt auch die Tatsache, dass das KAZ das Werk «Drei Reigen» für Steichorchester und Harfe von Lily Reiff am 18. Januar 1925 uraufführte. Und nicht nur das. Das Werk, das trotz Anlehnungen an den hochverehrten Richard Strauss einen ei-

*Das Ehepaar Lily und Hermann Reiff, das mit Schaichets eng befreundet war. Hermann Reiff war Präsident der Tonhalle-Gesellschaft, Lily Reiff Komponistin.*

genständigen Stil aufweist, führte das KAZ im Jahr 1941 in Zürich und Kreuzlingen nochmals auf.

Eine weitere wichtige Persönlichkeit Zürichs, die auch in den schwierigen Kriegsjahren bedingungslos zu Schaichet hielt, war der Leiter der Musikakademie, Hans Lavater. Als nämlich am 1. August 1940 der Leiter der Violinklasse der Akademie, Oscar Studer, zusammen mit seiner Gattin «einem tragischen Unglücksfall auf dem Luganersee zum Opfer fiel» – wie es im Nachrichtenblatt der Musikakademie heisst – wurde Alexander Schaichet zum Nachfolger des angesehenen Musikers und Pädagogen gewählt. Für Schaichet, der damals bereits 53 Jahre alt war, bedeutete diese Berufung in einer Zeit höchster Bedrängnis die Sicherung der existentiellen Lebensgrundlage. Schaichet hat denn auch Lavaters Mut, einen jüdischen Musiker zu wählen, in seiner Dankesrede an den Feierlichkeiten zu seinem eigenen 70. Geburtstag öffentlich gewürdigt, wie «Die Tat» am 27. Juni 1957 rapportierte: «Schaichet erzählte von Hans Lavater, der im August 1940, also zu einer Zeit, als der Antisemitismus und die Bewunderung für Hitlers Erfolge ihrem Kulminationspunkt entgegeneilten, in seine Wohnung kam, um ihm als Direktor der Musikakademie Zürich in vertrauensvoller Menschlichkeit die Leitung der Violinklasse anzubieten.»

Mit der Wahl an die Musikakademie, wo Schaichet auch die Kammermusik-Klasse übernahm, bahnte sich eine neuerliche Wende im Schaffen des Musikers an, gewann doch von diesem Zeitpunkt an die pädagogische Arbeit immer mehr an Bedeutung.

## Der Beginn an der Musikakademie Zürich

Der Anfang der Tätigkeit an der Musikakademie (AKI) muss ausserordentlich schwierig und steinig gewesen sein. So sagte Schaichet etwa an seiner schon zitierten Dankesrede zu seinem

*Georg Solti (1942), dem Irma Schaichet während der Kriegsjahre in Zürich half, spielte 1942 mit dem KAZ Wolfgang Amadeus Mozarts Klavierkonzert KV 271.*

70. Geburtstag, welche «Die Tat» rapportierte: «Auf dem Posten an der Musikakademie habe er (Schaichet) auf einem stellenweise recht steinigen, mit Unkraut besetzten Boden gärtnern und Blumen züchten können, wobei er die Weisheit des Satzes erfahren habe, dass das höchste Menschenglück darin bestehe, sich einer Aufgabe völlig hinzugeben, ohne sich selbst zu verlieren.»

Dieser «steinige Boden» dürfte auch mit dem Krieg und der daraus entstandenen schwierigen Lebenssituation in Zürich zusammengehangen haben. Just 1940, als Schaichet sein Amt am AKI antrat, war klar geworden, dass von einem baldigen Kriegsende keine Rede sein konnte. Die Ereignisse folgten sich in diesem Jahr Schlag auf Schlag. Das Gros der Schweizer Armee wurde in das berühmt gewordene «Réduit» auf und hinter die Voralpen zurückgezogen, womit Zürich in eine Zone zu liegen kam, wo einem allfälligen Feind nur hinhaltender Widerstand entgegengesetzt werden sollte. Die akute Bedrohung der Stadt wurde durch den ersten Fliegeralarm am 16. August 1940 noch sinnfälliger, zum ersten Bombenabwurf kam es dann am 27. Dezember. Im gleichen Zeitraum erliess der Stadtrat eine generelle Anbaupflicht auf dem gesamten, agrarisch nutzbaren städtischen Boden – die «Anbauschlacht» hatte begonnen. So verwandelte sich etwa die heutige Sechseläuten-Wiese in ein Kartoffelfeld. Und schliesslich war der Winter 1940/41 ausserordentlich kalt – es kam zu einer «Seegfröhrni». Kohlenknappheit war die Folge, was zu einer teilweisen Schliessung der Schulhäuser führte. Auch die Musikakademie war von dieser Massnahme betroffen, wie aus ihrem Nachrichtenblatt vom Oktober 1940 hervorgeht: «Bekanntlich haben alle Schulen, Bureaus etc. ihre Betriebe, des Brennstoffmangels wegen am Samstag zu schliessen. Da gerade dieser Tag bei uns mit Unterrichtsstunden stark belegt ist, haben wir an die zuständige Stelle ein Gesuch gerichtet, es sei uns zu gestatten, unsern Betrieb am Montag statt am Samstag einzustellen.»

Lebensmittelrationierungen und Benzinmangel machte der Bevölkerung zusätzlich zu schaffen. Der fehlende Brennstoff zwang etwa den Lebensmittelverein Zürich dazu, seine Güter mit der Strassenbahn zu befördern. Und die Rationierungen trafen auch jeden privaten Haushalt sehr elementar.[42]

Unter diesen Umständen musste es für Schaichet schwierig sein, einen regelmässigen Musikbetrieb aufrecht zu erhalten, sei es mit dem Kammerorchester Zürich oder als Musikpädagoge an der AKI. Trotzdem ging er mit grossem Enthusiasmus und Engagement ans Werk. Bereits die erste Vortragsübung am 8. März 1941, die unter dem Titel «In memoriam Prof. Oscar Studer» veranstaltet wurde, gibt einen guten Einblick in Schaichets ungebrochene Schaffenskraft und zeigt gleichzeitig, wie eng sein Wirken beim Kammerorchester Zürich mit seiner pädagogischen Tätigkeit zusammenhing. Gespielt wurden eine «Aria» von Max Reger, Konzerte von Vivaldi und Bach und das Konzert im alten Stil für drei Violinen des Zeitgenossen Hermann Grabner. Die Ausführenden waren Schüler der Ausbildungsklasse Schaichets, wobei das damals noch bestehende KAZ als Begleitorchester mitwirkte – ein ungewöhnliches Unterfangen, bei einer Vortragsübung ein Orchester beizuziehen. Zu dieser Zeit hat Schaichet übrigens auch mehrere seiner Schülerinnen und Schüler von der Musikakademie für das Kammerorchester Zürich aufgeboten.

Eine solche Schülerin «der ersten Stunde», Heidi Stalder-Ulrich, die bei Schaichet schliesslich das Konzertdiplom erwarb und auch im KAZ mitwirkte, erinnert sich noch gut an jene Zeit: «Ich hatte bereits zwei Jahre bei Oscar Studer studiert, als er am 1. August 1940 unerwartet starb. Der Wechsel zu Alexander Schaichet bot für mich keine grossen Schwierigkeiten, da er das bei Studer erworbene Wissen nicht in Frage stellte. Der Unterricht in den Kriegsjahren war nicht immer einfach. Ich kann mich an eine Vortragsübung erinnern, bei der ich mitten in meinem Vortrag abbrechen musste, weil Fliegeralarm gegeben wurde. Und mein Konzertdiplom erwarb ich am 4. März 1945, nur einen Tag nach der verheerenden Bombardierung von Schaffhausen. Wir waren alle überrascht, dass der Kammermusiksaal des Kongresshauses trotzdem bis auf den letzten Platz gefüllt war.»

In dieser Zeit wurden auch die Schwierigkeiten mit dem Kammerorchester immer akuter. Zwar bestand das KAZ noch bis zur Saison 1943, doch die Probleme für Schaichet, dieses

Orchester zu halten, wurden immer grösser: finanzielle Engpässe, die Schwierigkeit, in diesen Kriegsjahren zu neuem Notenmaterial zu kommen, die Tatsache, dass 1941 mit der Gründung des Collegium Musicum durch Walter Schulthess, Stefi Geyer und Paul Sacher ein neues Elite-Kammerorchester in Zürich Einzug hielt, sowie die gestiegenen Qualitätsansprüche an Aufführungen – bedingt durch die technische Entwicklung mit dem Radio – dürften die Hauptgründe gewesen sein, die schliesslich zur Auflösung des Orchesters im Frühjahr 1943 führten. Ob dabei, wie bereits 1939 bei Schaichets Rücktrittsabsichten, auch antisemitische Komponenten eine Rolle spielten, ist nicht nachweisbar.

Ein Teil der Musikerinnen und Musiker des KAZ mit Berufsausbildung wechselten zum Collegium Musicum von Paul Sacher oder traten später dem 1945 gegründeten Zürcher Kammerorchester von Edmond de Stoutz bei, der übrigens nach eigener Aussage Schaichet anfragte, ob er dem Orchester diesen Namen geben dürfe, der dem KAZ derart ähnlich war. Schaichet war auch nach der Auflösung des Kammerorchesters weiter als Dirigent tätig, übernahm er doch die Leitung des Akademischen Orchesters. Und nach dem Weltkrieg, als sich die Verhältnisse wieder normalisierten, dirigierte er als Gast auch das Tonhalle-Orchester und das Radio-Symphonieorchester Beromünster. So dirigierte er am 31. März 1947 mit dem «verstärkten Konzertorchester der Tonhalle» im grossen Tonhallesaal ein reines Tschaikowsky-Programm: Die Hamlet-Ouvertüre, das berühmte Klavierkonzert b-moll mit Irma Schaichet am Klavier und die 6. Symphonie, die «Pathétique». Nach dem grossen Erfolg dieses Konzertes, für welches Gönnerinnen, Gönner und Freunde das Tonhalleorchester finanziert hatten, entschloss sich Schaichet zu einem erneuten Konzert am 18. März 1948, und zwar wiederum mit einem «russischen» Programm. Diesmal waren es die 4. Symphonie von Tschaikowsky, das zweite Klavierkonzert c-moll von Sergej Rachmaninow, wiederum mit Irma Schaichet am Klavier, und Modest Mussorgskys «Bilder einer Ausstellung» – offensichtlich ein Lieblingswerk Schaichets. Hatte er mit dem KAZ dieses Werk schon einmal in einer eigenen Orchestration gespielt, so

konnte er nun mit dem grossen Orchesterapparat die berühmte Ravel-Fassung dirigieren. Schliesslich ist ein Radioprogramm erhalten, aus dem hervorgeht, dass Alexander und Irma Schaichet mit dem Radio-Orchester Beromünster das Schumann-Klavierkonzert und Mozart-Symphonien spielten, wobei das Konzert vom Radio übertragen wurde.

Den wichtigsten Teil seines Schaffens aber beanspruchte in diesem letzten Lebensabschnitt nach dem Weltkrieg die Tätigkeit als Pädagoge an der Musikakademie, die er bis zu seinem Tode 1964 ausübte. Probleme und neue Ideen in der Musikpädagogik nach dem Zweiten Weltkrieg dokumentiert ein interessanter Aufsatz Schaichets unter dem Titel «Neue Wege zur musikalischen Erziehung an den städtischen Primar- und Sekundarschulen in Zürich», der im Oktober 1946 im Nachrichtenblatt der Musikakademie publiziert wurde. Schaichet schildert darin zuerst den aktuellen Stand der Jugend: «Es ist eine unbestrittene Tatsache, dass die Liebe, das Verständnis und die Freude an der persönlichen Auseinandersetzung mit der Sprache der Tonkunst bei jungen Menschen, die das Kindesalter allmählich verlassen und sich dem Erwachsensein nähern, durch viele ablenkende Einflüsse gehemmt, ja sogar ganz beiseite geschoben werden. Diese Störefriede sind teils in der sportlichen Rekordsucht, teils im mechanisierten, verwöhnten Angebot von Grammophonerzeugnissen und Radiosendungen zu suchen.»

Erstaunlich zu sehen ist, wie sehr sich die Probleme in der Erziehung von damals und heute ähnlich sind. Schaichet folgert in seinem Aufsatz daraus, dass «ein noch unfertiges kindliches Wesen unter solchen Umständen den Weg zur Genugtuung durch die eigene Leistung oft gar nicht finden» könne, und dass die «den Menschen jeden Alters angeborene Bequemlichkeit das Auskneifen vor der Anstrengung» noch gefördert werde. Aus diesen Erkenntnissen heraus würden, so Schaichet weiter, Wege gesucht, «die der jungen Generation musikalische Werte von bleibender Bedeutung vermitteln sollen». Daher würden im Winterhalbjahr 1946/47 «zwanzig Musikunterrichtsstunden in Konzertform mit Kommentaren in verschiedenen Schulhäusern der Stadt abgehalten werden», organisiert von der Ortsgruppe

Zürich des Schweizerischen Musikpädagogischen Verbandes, dem auch Schaichet angehörte.

Sehr schön zu sehen ist hier, wie elementar und allumfassend für Alexander Schaichet die musikalische Bildung war, nicht nur für (angehende) Berufsmusiker, sondern auch allgemein für die Jugend. Tatsächlich hat er selber zeitlebens nicht nur Berufsleute ausgebildet, sondern auch vielen Laien regelmässig Stunden erteilt.

## Der Musikpädagoge mit Leib und Seele

Schaichet war mit Leib und Seele Pädagoge, forderte und begleitete seine Schülerinnen und Schüler unablässig auf ihrem Werdegang und war – ähnlich wie beim KAZ – stets auf Innovation und Entdeckung von Neuem bedacht. So sind die Parallelen der Programmation des KAZ und der Vortragsübungen der Musikstudentinnen und -studenten frappant. Wie beim KAZ war Schaichet ständig auf themenbezogene Vortragsübungen bedacht, wobei er fast immer Einführungen in die vorgespielten Werke gab. So kamen etwa folgende Themen von Vortagsübungen zustande, zu denen jeder Schüler und jede Schülerin ein Werk beisteuerte: «Franko-Belgische Violinmusik», «Entwicklung des deutschen Violinkonzerts», «Aus vernachlässigter Violinliteratur der deutschen Romantik», «Zum 50. Geburtstag von Fritz Kreisler», «Zwei Mozart-Abende zum 160. Todesjahre», «Pariser Schule, anlässlich des 200. Geburtjahres ihres Begründers J.B. Viotti», «Zürcher Komponisten» oder «Antonin Dvořák und andere Musikanten unter den Romantikern». Er wagte sogar, mit seinen Violinschülern Uraufführungen zu spielen, so etwa das «Divertimento für zwei Violinen und Bratsche» von Theodor Diener am 28. März 1942. Dass auch andere zeitgenössische Komponisten wie die Schweizer Julien-François Zbinden, Robert Blum, Robert Oboussier und internationale Komponisten wie Bartók, Toch, de Falla, Strawinsky oder Wieniawski regelmässig zum Zuge kamen, zeigt, wie elementar in seinem pädagogischen Wirken die neue Musik war. Schaichet war auch bei dieser Arbeit stets darauf be-

dacht, seine Schülerinnen und Schüler zur Offenheit und Neugierde anzuhalten. Das Violin-Repertoire, das er sich auf diese Weise aneignete, war immens, und er kannte – wie Schülerinnen und Schüler übereinstimmend berichten – die Werke bis ins Detail, konnte stets ohne Noteneinsicht korrigierend eingreifen und interpretatorische Ratschläge und Finessen angeben.

Schaichet hatte genaue Vorstellungen von den Aufgaben und Zielen der pädagogischen Arbeit.[43] Interessant zu sehen ist etwa der minutiös geplante und verwirklichte Aufbau eines Repertoires bei seinen Schülern, wie er anhand einer erhaltenen, von Schaichet zusammengestellten Tabelle ersichtlich wird. Da wird in zehn Aufbaustufen die Technik und das Repertoire erarbeitet. Sind es in den Stufen I bis V die Sparten «Violinschule» (Küchler), «Technische Studien» (vor allem Bloch), «Etüden» (Seybold, Wohlfahrt, Kaiser), «Stücke» (etwa Küchler op. 10, Beethovens «Rondino» oder Mozarts «Ave verum») und «Duette und Sonaten» (Pleyel op. 8, Händel- und Schubert-Sonaten), so kommen ab Stufe VI anstelle der «Schule» neu die «Konzerte» hinzu, bei welchen das Repertoire von Mozart, Vivaldi, Bruch, Saint-Saëns und Mendelssohn bis zu den grossen Konzerten von Beethoven, Brahms und Tschaikowsky reichte.

Zu Schaichets Unterrichtsphilosophie gehörte, dass er es immer ablehnte, seinen Schülern die zu erarbeitenden Werke vorzuspielen mit dem Argument: «Wir streben bei der Interpretation ein Ideal an. Sobald ich aber vorspielen würde, wäre dieses Ideal bereits zerstört.» Daher hat er Vieles durch Formulierungen intellektuell erklärt, anstatt es den Schülern vorzumachen – Schaichet war gleichsam eine «wandelnde Geigenschule» und hat seinen Schülern so die didaktischen Fähigkeiten quasi en passant vermittelt.

Viel Zeit und Gewicht verwandte er auf die Schulung der Technik, wobei er typische Merkmale seiner in Odessa erworbenen «russischen Violinschule» weitervermittelte. Dazu gehört

*Kammermusikunterricht mit (von links) Siegfried Gablinger, Marlis Moser, Hannelore* ▶
*Roesch, Alexander Schaichet, Dora Zehnder und Peter Lippert.*

etwa das «Staffettenvibrato», wobei bei jedem Ton ein leichtes Vibrato erzeugt wird. Die Fingersätze wurden generell weniger auf tiefe und möglichst bequeme Lagen ausgerichtet, als vielmehr auf die musikalische Umsetzung, was letztlich heissen konnte, dass eine schwierigere Griffolge gewählt wurde, um dadurch optimale klangliche Nuancen zu erhalten. Musikalität und Risikofreude wurden so als selbstverständlich vermittelt und ins Geigenspiel eingebracht. Weitere Merkmale dieser «russischen Schule», die bei Platten-Aufnahmen von Oistrach oder Milstein deutlich nachvollziehbar ist, ist die Fähigkeit, in höchstem Tempo in höchster Ruhe zu spielen – Virtuosität wird nicht zur Showeinlage, sondern zur Selbstverständlichkeit. Voraussetzung für dieses technische Vermögen ist eine typische Bogenhaltung, die darauf abzielt, dass der Unterarm immer auf derselben Ebene wie die Saite ist. Die Schülerinnen und Schüler Schaichets mussten diese Haltung ständig vor dem Spiegel überprüfen. Und schliesslich ist ein schlanker, feinziselierter Ton charakteristisch, der mit der Führung des Bogens zusammenhängt: Schaichet ermahnte seine Schülerinnen und Schüler immer wieder, die «Saite mitzunehmen und nicht zu drücken» und den Bogen «von links nach rechts oder von rechts nach links zu führen» und nicht «zu ziehen oder zu stossen». Auch hier sieht man, wie er es verstand, mittels Erklärungen seine Vorstellungen von Klang zu vermitteln. Dass sich diese Schulung bemerkbar machte, zeigen Kritiken von Vortragsübungen. So schreibt etwa das Volksrecht 1958: «Die Schüler Alexander Schaichets zeichnen sich alle durch eine sehr gepflegte Tongebung aus, einen schönen, runden Ton und eine Ruhe im Spiel.» Gelobt werden in anderen Kritiken die «Leichtigkeit» des Spiels oder das «hohe technische Können» bei den Schülerinnen und Schülern. Und von einer Vortragsübung von Robert Kunz schreibt das Israelitische Wochenblatt am 31. März 1961: «Eine glänzende Linke, fulminante Bogentechnik, tadellose Intonation, dazu Wärme und Temperament.» Alexander Schaichet war ein strenger und fordernder Lehrer, der seine Schüler zweimal pro Woche zum Unterricht aufbot, um ihnen keine «Atempause» zu gestatten und um sie noch besser unter Kontrolle zu haben. Aber er verstand es, mit seiner menschli-chen Art und seiner grossen Ausstrahlung, seine Eleven ständig zu Höchstleistungen zu motivieren und ihnen den Glauben an sich selbst zu vermitteln. Viel Wert legte er auch auf den persönlichen Kontakt, weshalb die Stunden oft bei ihm zu Hause am Hadlaubsteig 6, und nicht am Konservatorium, abgehalten wurden. Einen Eindruck vom strengen «Regime» Schaichets gibt ein Brief an seine Schüler, worin es heisst: «Zu Beginn des neuen Arbeitsjahres halte ich es, auf den bisherigen Erfahrungen fussend, für erforderlich, mit möglichst vielen meiner Schüler über die Gestaltung unserer künftigen Arbeit und über das Erlangen von besseren Leistungen, Besprechungen zu führen. Ich erwarte Sie am ... in meiner Wohnung, Hadlaubsteig 6, zum ersten Mal. Für die Auftretenden in der nächsten Vortragsübung ist das Erscheinen obligatorisch.»

Als Pädagoge genoss Schaichet denn auch grosses Ansehen. Davon zeugt etwa eine Anfrage von Antoine-Elysée Cherbuliez, von 1938–1948 Zentralpräsident des Schweizerischen Musikpädagogischen Verbandes (SMPV), der Schaichet als pädagogischen Experten zuzog: Schaichet gestaltete auf Anfrage Cherbuliez eine Vortragsreihe im Rahmen eines Schulungskurses in Luzern. Wie aus einem Brief Schaichets an Cherbuliez hervorgeht, in welchem die Modalitäten der Vortragsreihe besprochen werden, hatte er diese bereits an anderen Orten gehalten. Leider sind die Manuskripte nicht erhalten.

Alexander Schaichet hat viele hervorragende Musikerinnen und Musiker ausgebildet. Zu ihnen gehörte etwa Peter Wettstein, heute erfolgreicher Komponist und Direktor der Berufsabteilung des Konservatoriums Zürich, Andrej Lütschg, der Nachfolger Schaichets an der Musikakademie wurde, André Jacot, viele Jahre im Winterthurer Stadtorchester und beim Luzerner Festspielorchester tätig und heute Musiklehrer an der Kantonsschule Baden sowie Dirigent, Heidi Stalder-Ulrich, die mit Auszeichnung ihr Studium abschloss und dann nach Sao Paolo in Brasilien auswanderte und als Musiklehrerin tätig war, Eduard Melkus, der Solobratschist im Tonhalle-Orchester und erster Violinist beim Neuen Zürcher Streichquartett war und heute als Professor an der Musikhochschule in Wien lehrt, und Heiner Reitz, ebenfalls Mitglied des Festspielorchesters Luzern.

## Späte Ehrungen

Alexander Schaichet hat für die Musik im Allgemeinen und insbesondere für die Musikproduktion der Stadt Zürich still und beharrlich grosse Leistungen auf verschiedenen Gebieten erbracht. Als Interpret von Kammermusikwerken in verschiedenen Formationen hat er hochstehende Abende gestaltet und sein Publikum mit neuen Werken und mit der ungewöhnlichen Duo-Besetzung von Violine und Cello bekannt gemacht. Als Dirigent des Kammerorchesters Zürich hat er nicht nur diese lange in Vergessenheit geratene Orchesterformation als Erster wieder «salonfähig» gemacht, sondern hat auch durch Ausgrabung alter Werke oder Erst- und Uraufführungen neuer Stücke dem Publikum ein breites Musikspektrum geboten. Dass dabei ausgewiesene Solistinnen und Solisten zusätzlich für eine gute Qualität der Konzerte garantierten, erhöht diese Verdienste noch. Und schliesslich hat Schaichet mit der Ausbildung von guten Berufsmusikerinnen und Berufsmusikern einerseits für den beruflichen Nachwuchs gesorgt, mit der nimmermüden Schulung von Laien und von Jugendlichen hat er andererseits auch für das Nachwachsen eines fachkundigen Publikums viel getan. Auf eine offizielle Ehrung dieser zwar nicht spektakulären, aber kontinuierlichen und verdienstvollen Tätigkeit durch die Stadt aber musste Schaichet lange warten. Dafür waren es dann innerhalb relativ kurzer Zeit gleich drei Auszeichnungen, mit denen sein langjähriges Wirken gewürdigt wurde.

Die erste Auszeichnung, eine «Ehrengabe» von 1000 Franken, erhielt Schaichet im Herbst 1953 – er war zu diesem Zeitpunkt immerhin schon 66 Jahre alt. Gleichzeitig mit Schaichet erhielten auch der bedeutenden Schweizer Komponist Arthur Honegger und die Geigerin Stefi Geyer solche «Ehrengaben»

*Alexander Schaichet, portraitiert von Walter Sautter (Oel auf Leinwand).*

zugesprochen, was deren Bedeutung noch unterstreicht. Interessant zu sehen ist die im Nachrichtenblatt der Musikakademie publizierte Begründung: «Diese Auszeichnung soll ein bescheidener Dank der Öffentlichkeit sein für seine hervorragende Förderung der schweizerischen Jugend.» Schaichet wurde damit also vor allem für seine musikpädagogische Arbeit geehrt. Gleichzeitig mit der Ausrichtung dieser «Ehrengabe» wurde übrigens von der Musikkommission der Stadt Zürich Paul Müller-Zürich als «Musikpreisträger 1953» bestimmt. Er wurde damit insbesondere für seine Leistung um die Komposition des Landi-Festspiels geehrt, bei dem ja auch Schaichet, der Werke von Müller-Zürich oft spielte, mitgewirkt hatte...

Die «grosse Stunde» kam für Alexander Schaichet dann aber erst an seinem 75. Geburtstag. Zu diesem Anlass hatten die ehemaligen und gegenwärtigen Schülerinnen und Schüler Schaichets ein Orchester zusammengestellt, das unter Leitung

*Am 21. Juni 1962 erhielt Alexander Schaichet vom damaligen Stadtpräsidenten Emil Landolt die Hans-Georg-Nägeli-Medaille (Vor- und Rückseite).*

von Schaichet und ebenfalls mit (ehemaligen) Schülerinnen und Schülern als Solisten am 21. Juni 1962 im Kleinen Tonhallesaal konzertierte. Zu Beginn erklang das Konzert für zwei Violinen und Orchester d-moll von Johann Sebastian Bach mit den Solistinnen Lore Spoerri und Ursula Metzger. Als zweites folgte ein Teil des Violinkonzertes h-moll op. 61 von Saint-Saëns, von «Marlis Moser mit sicherer Technik vorgetragen, die lyrischen Zwischenteile fast ekstatisch entrückt», wie das Israelitische Wochenblatt schrieb. Weiter spielte Heiner Reitz die Sonate für Violine allein op. 52 von Paul Müller-Zürich und Robert Kunz überzeugte vor der Pause mit seiner Interpretation von Julien-François Zbindens Rhapsodie für Violine, op. 25. Nach der Pause wartete dann allen Anwesenden eine grosse Überraschung: Auf das Podium trat der damalige Stadtpräsident Emil Landolt mit dem Amtsweibel an seiner Seite und übergab dem verdutzten Jubilar die Hans-Georg-Nägeli-Medaille, mit der die Stadt Zürich Verdienste um das Kulturleben verdankt. Schaichet wurde damit insbesondere für das Kammerorchester

*Irma und Alexander Schaichet waren mit zahlreichen renommierten Musikerinnen und Musikern befreundet. Hier unterhalten sie sich mit Géza Anda (rechts).*

Zürich geehrt, wie aus der Laudatio Landolts hervorgeht: «Aus diesen wenigen Angaben ergibt sich, dass Alexander Schaichet ein gottbegnadeter Lehrer war, der seine Schüler zu begeistern vermochte. Das würde aber kaum genügen, um ihn heute in solcher Weise zu ehren. Ihm danken wir vor allem die Förderung schweizerischer Komponisten und angehender Künstler. Wenn man die Liste der gespielten Werke durchgeht, wie sie in dem Schriftchen '23 Jahre Kammerorchester Zürich unter der Leitung von Alexander Schaichet' aufgeführt ist, dann staunt man über die Kühnheit Schaichets in jener Zeit. Während andere Orchester – selbstverständlich sei dies nicht als Kritik gesagt – sich im wesentlichen auf Kompositionen der Klassik und der Romantik beschränken, so finden sich im Programm seiner damaligen Konzerte zum grössten Teil moderne Meister. ... Auch an Solisten zog er für seine Konzerte 253 Schweizer Musiker bei, davon 189 aus der Stadt Zürich und 26 aus dem übrigen Teil des Kantons. Verehrte Zuhörer, Sie kennen die von der Verwaltungsabteilung des Stadtpräsidenten betreuten Veranstaltungen im Rahmen des Podium-Zyklus, die bezwecken, schweizerische Komponisten mit dem Publikum bekannt zu machen. Ich darf wohl sagen, dass Alexander

Schaichet mit seinem Kammerorchester eine Art Vorläufer zum heutigen Podium war.»

Wie das Israelitische Wochenblatt schrieb, verdankte «der geradezu überwältigte Meister mit einigen ernst-heiteren Worten» die überraschende Ehrung und dirigierte dann den zweiten Teil des Konzertes, in welchem Dora Zehnder zwei Sätze aus dem Violinkonzert d-moll von Sibelius, Andrej Lütschg die «Tzigane» von Ravel und Irma Schaichet den «Siciliano» aus dem Konzert für Klavier und Orchester E-Dur BWV 1053 von Johann Sebastian Bach spielten.

Wie sehr Schaichet die Nägeli-Medaille freute, zeigt das Dankesschreiben, das er an Stadtpräsident Landolt schrieb und das heute noch im Stadtarchiv aufbewahrt wird: «Es soll der Mensch dem Menschen dienen! Sehr lieber und verehrter Herr Stadtpräsident, den obigen Satz, den Sie anlässlich der mich so ehrenden Auszeichnung verlesen haben, trug ich (und trage ich) unentwegt in mir bei der Ausübung meines Berufes. Der Unterschied liegt nur darin, dass sie ihn zuletzt erwähnten, während ich ihn stets zuvorderst empfinde. – Der Sinn dieses edlen Denkens gab mir und gibt immer noch den Impuls und die Kraft, allem Unbill zu begegnen und zu trotzen. Ihnen war es vorbehalten, diese beiden Pole zu verschmelzen. Für diesen von Ihnen herbeigeführten Einklang, sowie für die Zusendung der von mir erbetenen Abschrift Ihrer bedeutsamen Worte am Abend des 21.VI.1962 danke ich Ihnen sehr bewegt!»

Diese bereits eingangs dieses Essays zitierten Worte illustrieren noch einmal eindrücklich das Denken und Wirken Alexander Schaichets. Der Kreis hatte sich damit geschlossen. Und tatsächlich hat Schaichet diese hohe Auszeichnung nur um zwei Jahre überlebt. Lange hatte es gedauert, bis die Stadt Zürich ihren «neuen Sohn» willkommen geheissen hatte, noch länger dauerte es, bis sie ihn seinen Verdiensten entsprechend würdigte, doch dann hat sie seiner auch über den Tod hinaus ehrend gedacht: Im Dezember 1964 wurde «an die Witwe von Alexander Schaichet eine posthume Ehrengabe ausgerichtet in der Höhe von Fr. 2000», wie im Protokoll der Verwaltungs-

abteilung des Stadtpräsidenten vom 11. Dezember 1964 vermerkt ist. Alexander Schaichet starb am 19. August 1964 nach kurzer, schwerer Krankheit im Zürcher Waidspital.

*Büste von Alexander Schaichet, die Marianne Olsen-Bär geschaffen hat.*

# II. DIE PIANISTIN IRMA SCHAICHET

# Streiflichter auf das Leben von Irma Schaichet

*Verena Naegele*

Das Leben von Irma Schaichet-Löwinger war geprägt von der Musik. Als kleines Kind schon wurde sie mit der Musik vertraut, und ihr Tagesablauf als erwachsene Frau und Mutter war bestimmt von der Musik: sie gab pro Tag rund acht Unterrichtsstunden, und abends übte sie intensiv für die durchschnittlich zwei bis drei Solo-Konzerte, die sie in der Saison gab. Dazu kamen noch etliche Verpflichtungen als Begleiterin von anderen Musikerinnen und Musikern. Und auch im hohen Alter hat Irma Schaichet trotz körperlicher Schwächen bis kurz vor ihrem Tod noch einzelne Schülerinnen und Schüler unterrichtet. Und so gab sie folgerichtig auf Ermahnungen zu Ruhe und Schonung zur Antwort: «Musik ist mein Leben, die Musik gibt mir Kraft, am Klavier geht es mir am besten.»

## Jugend in Budapest

Irma Löwinger, die am 15. April 1895 als viertes von sechs Kindern geboren wurde, wuchs in einer äusserst bescheidenen, arbeitsamen jüdischen Familie in Budapest auf.[1] Die Eltern Julius und Rosa Löwinger-Duschak betrieben ein kleines Kolonialwarengeschäft, in welchem vom Petrol bis zum Salami alles für den täglichen Bedarf zu kaufen war, und das, ausser samstags, täglich von sechs Uhr früh bis zehn Uhr abends geöffnet war. Irmas Mutter, die neben der Versorgung der grossen Familie auch alle Backwaren für den Laden selber herstellte, war es ein grosses Anliegen, ihre Kinder Elsa, Margit, Lenke, Irma, Ila und Gyuri kulturell und bildungsmässig zu schulen. Da dies aber aus finanziellen Gründen kaum möglich war, lud die initia-

tive Frau über Jahre hin jeweils fremdsprachige Studentinnen zum Mitagessen ein, die als Gegenleistung mit den Töchtern französische Konversation betrieben. Auch musikalisch wurden die Kinder durch die musikliebende Mutter mit einfachen Mitteln gebildet, besuchte sie doch mit ihren sechs Sprösslingen jeden Sonntag die Messe in der nahegelegenen Basilika, wo regelmässig Orgel- oder Chorkonzerte stattfanden.

Für Irma kam dann mit acht Jahren der «grosse» Tag, als sie als Schülerin der Diplomanden an der Musikakademie in Budapest angenommen wurde. Irma erzählte diese für ihr Leben so entscheidende Begebenheit einmal einem Schwiegersohn auf eine erhalten gebliebene Tonbandkassette: «Ich ging in die erste Primarklasse, als mich Mama eines Tages schön angezogen an die Hand nahm. Sie war sehr, sehr aufgeregt und führte mich in das grosse Gebäude der Musikakademie in Budapest. Dort mussten wir lange in einem Vorzimmer mit vielen anderen, ebenfalls aufgeregten Müttern mit ihren Sprösslingen warten. Es wurden immer wieder Namen aufgerufen, und ein Kind nach dem andern verschwand hinter einer grossen Türe. Plötzlich hiess es dann ʹLöwinger, Irmaʹ. Mama küsste mich zitternd und ich wurde in ein Zimmer geführt, wobei ich die ganze Auf-

*Julius (Gyula) und Rosa Löwinger-Duschak in Budapest mit den Kindern Gyuri, Elsa, Lenke (mit Haarschleife), Margit, Irma und Ila (Ilona).*

regung überhaupt nicht verstand. Im Zimmer sassen einige Herren, die mich fragten: 'Was kannst du?' 'Nichts', antwortete ich. 'Kennst du die Klaviertasten?' Da ich mit ja antwortete, prüften sie mein Gehör und stellten fest, dass ich das absolute Gehör besass. Nach ein paar Tagen wurde Mama dann mitgeteilt, dass ich als 'Probekaninchen' für angehende Klavierlehrer angenommen worden war. Das Glück und der Stolz der Mutter kann man sich kaum vorstellen, denn von 100 Kindern waren ganze fünf angenommen worden.»

Irma erhielt ihre Ausbildung also zuerst von jungen talentierten Lehrern, und dann auch bei Arnold Székely, einem Schüler von István Thomán. Nach dem Lehrdiplom, das sie mit Auszeichnung bestand, wurde sie in die Konzertausbildungsklasse von Béla Bartók aufgenommen, der seit 1907 als Nachfolger seines Lehrers István Thomán Professor für Klavier an der Budapester Musikakademie lehrte. Über die Unterrichtsmethoden von Bartók gibt es eine interessante Beschreibung durch den Pianisten Ernst Balogh, der von 1909 bis 1915 – also praktisch gleichzeitig wie Irma Löwinger – bei Bartók studierte: «Das wichtigste Prinzip seines (Bartóks) Unterrichts bestand darin, dass er zu allererst Musik lehrte; Klavier war zweitrangig. Das höchste Ziel seiner Anleitung und Absichten bestand darin, in uns ein sauberes Musikverständnis zu entwickeln. Er vermittelte uns einen Einblick in die Struktur der Stücke, die wir spielten, machte uns mit den Intentionen des Komponisten vertraut, erklärte uns die Grundelemente der Musik und führte uns in die Grundlagen der Phrasierung ein. Er brachte grenzenlose Geduld auf, wenn es darum ging, Details der Phrasierungen, Rhythmus, Anschlag und Pedalgebrauch zu erläutern. Bei der kleinsten Abweichung oder Nachlässigkeit im Rhythmus zeigte er kein Pardon. Er war peinlich genau bezüglich des rhythmischen Verhältnisses, der richtigen Betonung sowie der Wahl des Anschlages. ... Bartók besass wenig Sinn für sentimentales Spiel, was nicht gleichzeitig heisst, dass er jeglichen emotionalen

*Der Pianist Arnold Székely, der Lehrer von Irma Schaichet, Georg Solti und Annie Fischer war. Irma Schaichet lernte Annie Fischer durch ihren ehemaligen Lehrer Arnold Székely kennen.*

Ausdruck verbot. Mit seinem Bleistift hat er in meinen Noten oftmals 'espressivo' bzw. das Kürzel 'espr.' angemerkt. Es finden sich darin auch einige 'dolce'-Notierungen, worunter er 'sanft' versteht, hingegen bezeichnet er mit 'espressivo' eher einen singenden, mit Gefühl gespielten Ton.»[2]

Neben Irma Löwinger war auch deren ältere Schwester Margit musikalisch sehr talentiert, besass sie doch eine schöne Sopranstimme, die von einem Gesangslehrer gegen Lebensmittel aus dem elterlichen Laden geschult wurde. Irma Löwinger hat ihre Schwester Margit oft bei Opernarien oder Liedern von Schubert, Schumann und Brahms begleitet und konnte so schon in jungen Jahren wertvolle Erfahrungen als Klavierbegleiterin sammeln.

### Bei Ferruccio Busoni in Zürich

1917, als Irma das Konzertreife-Diplom bei Bartók mit Auszeichnung bestanden hatte, wurde ihr eine Stelle als Klavierlehrerin an der Akademie in Budapest in Aussicht gestellt, wenn sie dazwischen noch mit einem Stipendium für ein Jahr zur Weiterbildung zu Ferruccio Busoni gehen würde. Busoni, der mit Bartók bekannt war, war wegen des Ersten Weltkriegs nach Zürich emigriert und unterrichtete dort seine Privatschüler an der Scheuchzerstrasse, wo er wohnte. Und so kam Irma Löwinger 1917 in Begleitung ihrer Mutter nach Zürich, wo die Pianistin nach längerer Suche an der Kasinostrasse in einer kleinen Privatpension eine Bleibe fand. Für die junge Ungarin aus Budapest war dies eine schicksalsschwere Entscheidung – den Grund hat sie auf der schon erwähnten Tonbandkassette festgehalten: «In Zürich wollte mir niemand ein Logis geben wegen des Klavierspiels, bis ich ganz zufällig in die kleine Pension Masur in der Kasinostrasse kam. Als mich aber die Besitzerin Frau Dochan ebenfalls wegschicken wollte, brach ich in Tränen

*Ein Jugendbildnis von Irma Schaichet, die auf Empfehlung ihres Budapester Lehrers Béla Bartók zum Weiterstudium nach Zürich zu Ferruccio Busoni ging, wo sie Alexander Schaichet kennenlernte.*

aus. Frau Dochan liess sich erweichen, richtete für mich den Salon ein und legte für mich bei einem Pensionär, einem russischen Geiger, ein gutes Wort ein, sodass ich tagsüber, wenn er auswärts arbeitete, auf seinem Klavier üben konnte. Als ich den Musiker nach vier Wochen immer noch nicht getroffen hatte, schlug Frau Dochan vor, uns beide zum Mittagessen einzuladen, damit wir uns kennenlernen würden. Der Geiger hiess Alexander Schaichet. Es wurde ein denkwürdiges Essen, denn wir beschlossen, für immer zusammen zu bleiben.»

Und so kehrte Irma Löwinger nicht, wie vorgesehen, nach Budapest zurück, um ihre Stelle anzutreten, sondern blieb in Zürich, wo sie am 15. Juli 1919 Alexander Schaichet heiratete. Das Ehepaar Dochan amtierte als Trauzeugen. Irma und Alexander Schaichet-Löwinger verstanden sich aber nicht nur privat auf Anhieb, sondern sie begannen auch sogleich, miteinander zu musizieren. So sind etwa Konzertprogramme aus den Jahren 1918 und 1919 erhalten, auf welchen die Pianistin noch unter ihrem Mädchennamen Löwinger zusammen mit Alexander Schaichet (Violine) und dessen Freund, dem russischen Cellisten Joachim Stutschewsky, aufgeführt ist. Und auch nach der Heirat trat sie regelmässig mit Alexander Schaichet in Kammermusikabenden auf, oder sie wirkte als Solistin in dem von Schaichet 1920 gegründeten Kammerorchester Zürich mit.

Irma Schaichet-Löwinger lebte sich in Zürich schnell ein, wobei die erste Zeit von familiären Ereignissen geprägt war. Am 1. Oktober 1921 wurde die Tochter Mirjam geboren, am 7. Juli 1924 folgte der Sohn Peter und am 13. August 1931 kam die jüngste Tochter Vera auf die Welt. Für die junge Pianistin und Mutter muss dies eine sehr arbeitsintensive Zeit gewesen sein, kamen doch zur anstrengenden Betreuung der Kleinkinder auch noch zahlreiche Umzüge dazu, weil die Musikerfamilie wegen des steten Übens von den Vermietern nicht geduldet wurde. Und so zogen die Schaichets, die bis kurz vor der Geburt von Mirjam an der Kasinostrasse bei den Dochans wohnten, zuerst an die Forchstrasse und dann an den Kapfsteig, bis sie im Jahre 1927 ins eigene Heim am Hadlaubsteig 6 einziehen konnten.

## Angesehene virtuose Pianistin

In ihrem eigenen Haus am Hadlaubsteig konnte sich Irma Schaichet, die noch im selben Jahr 1927 durch die Einbürgerung Schweizerin geworden war, endlich richtig einrichten und ihre verschiedenen Tätigkeiten nebeneinander ausüben. Neben der Kinderbetreuung nämlich gab die nimmermüde Musikerin regelmässig Klavierstunden für Laien und bildete auf privater Basis als Mitglied des Schweizerischen Musikpädagogischen Verbandes (SMPV) auch Pianistinnen und Pianisten aus. Daneben galt es für die stets aktiv auf dem Konzertpodium auftretende Künstlerin, das Repertoire zu pflegen und neue Werke einzuüben. Die «Schweizerische Musikzeitung» wies 1935 auf diese doppelte Tätigkeit Irma Schaichets in einer Konzertbesprechung hin: «Unter der Zürcher Musikerschaft dürfte Frau Irma Schaichet wohl die einzige Pianistin sein, die trotz intensiver pädagogischer Betätigung den Ehrgeiz und die Energie besitzt, sich als ausübende Virtuosin betätigen zu wollen.»

Dass Irma Schaichet in ihrer Konzerttätigkeit auch erfolgreich war, davon zeugen zahlreiche Kritiken. Interessant sind die Beschreibungen ihres Spiels, die den Einfluss ihres Lehrers Bartók verraten. So schrieb etwa die Salzburger Zeitung 1950: «Eine bedeutende Pianistin mit Akzenten fast männlicher Kraft, mit hinreissendem dramatischem Gefühl und vollem Klang.» Eine besondere und umfassende Würdigung ihrer Kunst brachte die «Schweizer Musikzeitung» anhand eines Klavierabends im Jahre 1930: «Immer mehr überrascht uns die Zürcher Pianistin Irma Schaichet mit ihrem kraftvollen, von jeder Sentimentalität befreiten Spiel. Auf sicherem Wege schreitet sie zum Ziele hoher Künstlerschaft. Mit intuitiver Sicherheit findet sie überall das Wesentliche heraus und weiss es zu abgerundeter Ganzheit zu formen. Deshalb schätzen wir ihre Kunst und hoffen wir auf ihre Erfüllung.»

Ihre hohe Virtuosität wurde immer wieder lobend erwähnt, so etwa in einer Kritik der «National-Zeitung» Basel vom Dezember 1949 über ihre Interpretation der «Appassionata» von Beethoven: «Es war ein besonders schöner Abend, an dem man mit aufgeschlossenem Herzen einem kraftvollen, klaren Musizieren lauschen konnte.» Über dasselbe Programm, das Irma Schaichet auch in Zürich im Kleinen Tonhallesaal spielte, schrieb «Die Tat» am 24. November 1949 etwas differenzierter: «Irma Schaichet, die mit einer grossen Wandlungsfähigkeit ihr Klavierspiel oder vielleicht mehr noch ihre musikalische Gestaltung weiter entwickelt, ging in ihrer Wiedergabe der Appassionata beglückend über das Nur-Pianistische hinaus; es war nicht das unentwegte Tosen der Leidenschaft, sondern das viel eindrucksvollere Auf- und Abschwellen der Empfindung, der in reichem Wechsel der Klangfarben ausgedrückte Wechsel der Stimmungen, wie er dem poetischen Gedanken dieser Sonate entspricht.»

## Ein breitgefächertes Repertoire

Irma Schaichet-Löwinger war aber nicht nur eine ausgezeichnete Pianistin, sondern sie beherrschte auch ein grosses und breitgefächertes Repertoire in verschiedenen Konzertgattungen.[3] Sie bestritt sowohl Solo-Rezitals als auch Orchesterkonzerte, trat in Kammermusik-Abenden mit verschiedenen Formationen auf, betätigte sich im Kammerorchester Zürich als «Orchesterinstrumentalistin» auf dem Klavier, Cembalo oder Harmonium und war auch eine ausgezeichnete Liedbegleiterin, wie aus zahlreichen Rezensionen hervorgeht.

Bei den Solorezitals reichte das Repertoire von Irma Schaichet von Johann Sebastian Bach (Wohltemperiertes Klavier, Chromatische Fuge), über Ludwig van Beethoven (diverse Sonaten, etwa Sonate d-moll op. 31 Nr. 2; Sonate f-moll op. 57, «Appassionata»; 32 Variationen c-moll; Sonate Es-Dur op. 81a, «Les adieux» usw.) bis zu den Romantikern Schumann (z.B. C-Dur Toccata op.7, Sinfonische Etüden op. 13, Carnaval op. 9), Carl Maria von Weber (Sonate C-Dur op. 11) und Schubert (Wanderer-Fantasie D760, Impromptus D 935, Fantasie G-Dur D 874). Oft spielte sie auch Mussorgskys «Bilder einer Ausstellung» in der originalen Klavierfassung, was eine ideale Ergänzung zu Alexander Schaichet darstellte, hatte dieser doch sowohl eine eigene Orchestration des Werkes mit dem Kam-

merorchester Zürich erarbeitet, als auch die berühmte Ravel-Orchestration mit dem Tonhalle-Orchester dirigiert. Ein Schwerpunkt von Irma Schaichet galt dem Schaffen der Komponisten ihrer ungarischen Heimat, wobei sie für diese Interpretationen immer wieder besonders positiv rezensiert wurde: Von Franz Liszt spielte sie etwa die Polonaise E-Dur Nr. 2 und die grosse Sonate h-moll, von Zoltán Kodály, der nur wenig für Klavier komponierte, hatte sie die Sieben Klavierstücke op. 11 und das Scherzo op. 3 im Repertoire, und von ihrem Lehrer Béla Bartók spielte sie Stücke aus dem Mikrokosmos und immer wieder das «Allegro barbaro», diese Apotheose rhythmischer Kraft. Noch 1957 schwärmte «Die Tat» in einer Rezension über die Intepretation dieses Werkes durch die mittlerweile 62jährige Künstlerin: «Für die gereifte Auffassung von Irma Schaichet schien uns gerade die Wiedergabe des Allegro barbaro charakteristisch, dieses berühmten Donnerstücks, das wir noch selten so musikalisch, ausser 'barbaro' mindestens ebenso 'lirico' hörten.» Ein weiterer Schwerpunkt im Schaffen von Irma Schaichet galt schliesslich ihrem Zürcher Lehrer Ferruccio Busoni, von dem sie vor allem die Bach-Bearbeitungen im Konzertsaal aufführte.

Bei den Orchester-Konzerten spielte Irma Schaichet die grossen Werke der Literatur, oft unter dem Dirigat von Alexander Schaichet, oft aber auch unter anderen, renommierten Dirigenten wie Erich Schmid, Volkmar Andreae oder Hermann Scherchen. Dabei führte sie die berühmten Klavierkonzerte von Schumann, Tschaikowsky, Beethoven und Rachmaninow auf. Aber auch kleinere Werke wie Carl Maria von Webers Konzertstück op. 79 oder Liszts «Phantasie über ungarische Volksmelodien» gehörten zu ihrem Repertoire.

Besondere Verdienste erwarb sich Irma Schaichet – genau wie ihr Mann – um die zeitgenössische Musik, für die sich die Pianistin immer wieder einsetzte. So spielte sie etwa mit dem Kammerorchester Zürich (KAZ) die Erstaufführungen von Hermann Wunschs Kammerkonzert für Klavier und Orchester op. 22, von Darius Milhaud «Cinq études» pour piano et orchestre und von Alexander Tscherepnin das Concertino für Violine, Cello, Klavier und Streichorchester. Auch Uraufführungen hat Irma Schaichet mit dem KAZ bestritten, und zwar die Uraufführungen des Konzertes für Klavier und Streichorchester von Arthur Kusterer am 10. April 1930 und des Konzertes für Klavier, Streichorchester und Schlagzeug von Theodor Diener am 21. Februar 1943. Und in seiner vom KAZ uraufgeführten Dritten Sinfonie hat Robert Blum im dritten Variationensatz für Irma Schaichet einen Klavierpart eingebaut.

Auch bei der Kammermusik hat sich Irma Schaichet für die zeitgenössischen Komponisten eingesetzt und unter anderem zwei gewichtige Werke uraufgeführt. Das eine Werk stammt von Albert Moeschinger, zu dem das Ehepaar Schaichet anfang der 30er Jahre intensive Kontakte pflegte. Die Pianistin spielte am 27. September 1934 zusammen mit der Konzertmeisterin des Kammerorchesters Zürich, Lore Spoerri, die Uraufführung von Moeschingers «Humoresken» für Violine und Klavier op. 37. Damit wurden in jenen Jahren gleich drei wichtige Werke des Basler Komponisten vom Ehepaar Schaichet uraufgeführt, nämlich die Kantate nach Sprüchen des Angelus Silesius op. 24 für Sopran, Violine und Cembalo durch Alice Frey-Knecht, Alexander Schaichet und Johan Hoorenman am 9. März 1932[4] , die Variationen über ein Thema von Purcell op. 32 für Streichorchester durch das Kammerorchester Zürich unter Leitung von Alexander Schaichet am 23. November 1933, und die erwähnten Humoresken op. 37 durch Lore Spoerri und Irma Schaichet am 27. September 1934. Einen anderen wichtigen Schweizer Komponisten, den die Pianistin pflegte, war Willy Burkhard. Von Burkhard spielte sie zusammen mit Frédéric Mottier am 10. Februar 1952 die Sonate für Cello und Klavier op. 87 im Kleinen Tonhallesaal als Uraufführung. Mottier hatte das ihm gewidmete Werk bei Burkhard bestellt. Der «Tages Anzeiger» schrieb in seiner Rezension am 15. Februar 1952: «Diese Sonate, ungewöhnlich auch in der äusseren Anlage, ist umlauert von Nachtgespenstern, bald im freundlichen, bald im bedrohlichen Sinn. Unversehens, aber ganz entschieden zum Vorteil des Sinnenmusikers, ist Burkhard hier ins Revier des Spukhaften geraten und hat bewusst oder unbewusst Kontakt gefunden mit jenem hellsichtigen Kapellmeister Kreisler, der sich im Geisterreich so trefflich auskannte und des-

sen skurrile Einfälle und Lehren so manchen phantasiebegabten Komponisten beeinflusst haben. Nun hat uns also auch Burkhard mit solcher 'Kreisleriana' überrascht.» Eine erhalten gebliebene Tonbandaufnahme dokumentiert die fruchtbare Zusammenarbeit von Irma Schaichet und Frédéric Mottier, bei welcher Burkhards gespenstische Tonsprache der Sonate musikalisch schön umgesetzt ist.

Im Übrigen verfügte Irma Schaichet auch im kammermusikalischen Bereich über ein grosses Repertoire, das im Detail hier gar nicht aufgeführt werden kann. Einige Besonderheiten zeigen aber eindrücklich die Vielseitigkeit der Pianistin auf. An erster Stelle sind da die regelmässigen Duo-Abende mit ihrem Mann Alexander Schaichet zu nennen, in denen sie verschiedene Literatur für Violine und Klavier spielten, vor allem aber auch das gesamte zur Verfügung stehende Repertoire für Bratsche und Klavier. Über einen solchen Bratschen-Abend berichtete etwa die «Schweizerische Musikzeitung» 1940: «Der Bratschenabend von Alexander Schaichet unter Mitwirkung von Irma Schaichet am Klavier trug einen besonderen Klang in die Flut unserer Solisten-Konzerte. ... Zurück in diesseitige Räume des Lebens führte des Jungrussen Wassilenkos Sonate in einem Satz für Bratsche und Klavier (op. 46, komp. 1923). Was da aufrauschte an romantisch-impressionistischer Naturstimmung, aufbrechender Leidenschaft und verwehenden Lauten der Nacht, liessen die beiden Konzertgeber mit vollem Einsatz ihrer Spielenergien und Temperamentspannungen in prächtiger Geschlossenheit und sinnlichem Farbenreiz Bild an Bild sich reihen, wobei die Pianistin, die den ganzen Abend lang die Begleitung kundig betreute, beschliessend voll in die Tasten greifen und ihr vielseitiges Können zur Geltung bringen konnte.»

Auch mit anderen Violinisten ist Irma Schaichet aufgetreten. Hier ist besonders der renommierte jüdische Musiker Simon Goldberg zu nennen, der lange Jahre Konzertmeister bei den Berliner Philharmonikern war und zusammen mit Paul Hindemith und Emanuel Feuermann ein erfolgreiches Trio bildete. Mit dem wegen seiner weichen Tongebung und feinsinnigen Stricharten besonders geschätzten und profilierten Musiker zusammen gab Irma Schaichet im Januar und Februar 1940 zwei vielbeachtete Konzerte im Kleinen Tonhallesaal. Goldberg und Schaichet spielten dabei eine breite Palette von Werken wie etwa eine Sonate für Violine und Klavier D-Dur von Händel, Vier romantische Stücke op. 75 von Dvořák, Caprice Nr. 24 von Paganini-Szymanowsky, Rondo A-Dur von Franz Schubert, zwei Stücke «Quasi Ballata» und «Appassionato» von Josef Suk und – als krönender Abschluss – die Sonate pour violon et piano von Claude Debussy. Mit Goldberg verband Irma Schaichet denn auch eine enge Freundschaft.

Eine andere Duo-Besetzung, die Irma Schaichet sehr pflegte, ist diejenige für Cello und Klavier, gab sie doch regelmässig mit Künstlern wie Joachim Stutschewsky, Frédéric Mottier oder Regina Schein Cello-Abende, in denen ein beachtlicher Teil der Literatur für diese Besetzung gespielt wurde. Bei Stutschewsky, mit dem sie die jüdische Herkunft teilte, kommt noch eine andere Spezialität hinzu, der sie sich zeitlebens immer wieder widmete: der Pflege jüdischer Komponisten. Zu diesen regelmässig zum Thema «Musik jüdischer Komponisten» in Konzerten im Kleinen Tonhallesaal oder im Saal des Konservatoriums gespielten Komponisten, mit denen Irma Schaichet das Zürcher Publikum bekannt machte, gehörten etwa Alexander Krein, Joel Engel, Josef Achron, Ernest Bloch, Joachim Stutschewsky, der auch ein begabter Komponist war, Marko Rothmüller und Israel Brandmann. In ihren Werken beziehen sich diese Komponisten auf jüdisches Kulturgut, wie etwa eine ausführliche Kritik in der «Schweizerischen Musikzeitung» von 1937 illustriert: «Vor der Errichtung des Jüdischen Nationalheimes in Palästina bekannten sich die Komponisten israelitischer Abstammung – mit Ausnahme einiger Vorkämpfer wie Joel Engel und namentlich Ernest Bloch – zu einer bewusst international eingestellten Aesthetik. Seither hat sich ein radikaler Wechsel vollzogen. Die junge Komponistengeneration schöpft aus der jüdischen Vergangenheit (der Folklore im weitestgefassten Sinne) und nimmt sich vor, eine arteigene Tonsprache zu schaffen und sie auf sämtliche musikalische Gattungen anzuwenden.»[5]

Eine weitere musikalische Gattung, der sich Irma Schaichet immer wieder mit Erfolg widmete, ist schliesslich das Kunstlied.

Mit Sängerinnen und Sängern wie Elisabeth Rabbow, Desider Kovác, Else von Monakow, mit der sie regelmässig auftrat, Dezsö Ernster oder Else Fink erspielte sie sich ein riesiges Repertoire von Liedbegleitungen. Die grossen Komponisten aus der deutschen romantischen Liedtradition wie Franz Schubert, Hugo Wolf und Robert Schumann gehörten da ebenso dazu, wie Lieder von Beethoven, Julius Weismann, Othmar Schoeck, Hans Pfitzner (Liebeslieder op. 35), Hans Jelmoli, Gustav Mahler oder Richard Strauss. Irma Schaichet profilierte sich dabei als einfühlsame Begleiterin mit «gewandtem und delikatem Spiel», wie ihr in Kritiken attestiert wurde. Besonderes Gewicht erhielten bei Irma Schaichet auch in dieser Gattung die Komponisten des Ostens, die mit Liedern von Modest Mussorgsky, Zoltán Kodály oder Béla Bartók vertreten waren und für deren Interpretation sie wiederum besonders gerühmt wurde. So schrieb etwa die «Schweizerische Musikzeitung» 1941 über die Interpretation von verschiedenen Volksliedern Bartóks durch Desider Kovác und Irma Schaichet: «Der Baritonist Desider Kovác, von Irma Schaichet brillant am Klavier begleitet, war der sprachvertraute und berufene Interpret der ungarischen Volkslieder, die der Komponist in ein raffiniertes, impressionistisches Gewand gekleidet hat.»

Insgesamt lässt sich feststellen, dass Irma Schaichet nicht nur über ein imposantes Repertoire verfügte, sondern auch immer wieder für ihre sehr persönliche Interpretationskunst gelobt wurde. Hohe Virtuosität und Kraft, beides typische Merkmale ungarischer Klaviertradition, wurden bei ihren Auftritten von den Rezensenten immer besonders gelobt. Wenig verwunderlich ist dabei, dass sie sich vor allem als berufene Kennerin und Interpretin von Werken der Komponisten ihrer ungarischen Heimat und insbesondere von Béla Bartók profilierte.

## Entdeckerin von Talenten

Irma Schaichet machte sich aber nicht nur einen Namen als hervorragende Pianistin und Pädagogin, sondern auch als Entdeckerin und Förderin von Talenten. Eine ihrer legendärsten Taten in diesem Zusammenhang betraf die Begegnung mit Annie Fischer, die fast wie ein Märchen anmutet. Irma Schaichet war zusammen mit Alexander Schaichet nach Budapest gereist, um ihrem Ehemann ihre Heimat und insbesondere auch die Musikakademie zu zeigen, wo sie studiert hatte. Als sie das grosse Gebäude der Akademie betraten, hörten sie von Weitem, wie im Vortragssaal gerade jemand übte. Und da der Vortrag von hoher Qualität war, wollten sie die Person kennenlernen: es war die kaum 13jährige Annie Fischer, welche Irma Schaichet derart begeisterte, dass sie sich entschloss, das ungarische Wunderkind nach Zürich zu holen. In Zürich begeisterte Annie Fischer das Publikum dann mit ihren regelmässigen Auftritten, einerseits mit dem Kammerorchester Zürich, andererseits in Solorezitals.[6]

Eine andere Begegnung mit einer jungen talentierten Musikerin betraf Maria Stader. Die Sopranistin, die später eine Weltkarriere als Mozart-Sängerin machte, erzählt eine schöne Anekdote: «Ich kann mich noch gut erinnern, wie ich einmal am Hadlaubsteig im Haus der Schaichets vorsang und Irma Schaichet ganz begeistert davon war. 'Sie haben eine Stimme wie ein Amselruf, wunderbar hell in der Höhe und klar', machte mir die Pianistin grosse Komplimente.» Wie Maria Stader Irma Schaichet kennengelernt hat, vermag sie sich zwar nicht mehr genau zu erinnern, es könnte aber beim Mäzenatenpaar Hermann und Lily Reiff gewesen sein, mit dem auch Irma und Alexander Schaichet befreundet waren. Das Ehepaar war seit langem mit der Musik verbunden, Hermann als langjähriger Präsident der Tonhalle-Gesellschaft, Lily als Musikerin und Komponistin – sie hatte mit Richard Strauss zusammen in München studiert. Da Lily Reiff bei Josef Giehrl (1857–1893), einem Liszt-Schüler, zur Pianistin ausgebildet worden war und 1884 bei Liszt selber einen Meisterkurs in Weimar besucht hatte, verband sie mit Irma Schaichet wohl auch die gemeinsame Verwurzelung in der ungarischen Klaviertradition.[7]

*Programm der Uraufführung von Willy Burkhards Sonate für Cello und Klavier op. 87 durch den Solo-Cellisten des Tonhalle-Orchesters, Frédéric Mottier, und Irma Schaichet.*

---

TONHALLE                                                    KLEINER SAAL

Sonntag, den 10. Februar 1952, 20.15 Uhr

## Cello-Abend
# FRÉDÉRIC MOTTIER
AM FLÜGEL:
## IRMA SCHAICHET

PROGRAMM:

| | |
|---|---|
| A. VIVALDI | Sonate in B-dur *(Klaviersatz von Rudolf Werner)* Largo — Allegro — Largo — Allegro |
| J. S. BACH | Suite No. 4, in Es-dur für Cello-Solo Prélude Allemande Courante Sarabande Bourrées I und II Gigue |
| L. v. BEETHOVEN | Sonate op. 5, No. 2, in g-moll Adagio sostenuto ed espressivo Allegro molto più tosto presto Rondo Allegro |
| WILLY BURKHARD | Sonate op. 87 (komponiert 1951) *Frédéric Mottier gewidmet (Uraufführung)* I. Introduzione: Allegro moderato II. Scherzo notturno: Allegro — Tempo rubato quasi Andante — Agitato — Tempo rubato — Allegro III. Finale: Adagio ma non troppo — Allegretto |
| B. MARTINŮ | Variationen über ein Thema von Rossini (1949) |

Konzertflügel Steinway & Sons (Vertreten durch Hug & Co. und Pianohaus Jecklin)

Arrangement:
KONZERTDIREKTION K. MENZEL

BUCHDRUCKEREI STADELHOFER, ZÜRICH

Die Reiffs bewohnten an der Mythenstrasse eine grosse Villa, die zum regelmässigen Treffpunkt für Künstlerinnen und Künstler aus aller Welt wurde. Maria Stader erzählt: «Legendär waren die allwöchentlichen Teenachmittage, an denen sich Künstlerpersönlichkeiten wie Willem Mengelberg, Felix Weingartner, Alfred Cortot, Sigrid Onegin oder Hans Pfitzner trafen. In einem Nebenraum waren auch junge talentierte Musikerinnen und Musiker versammelt. Ich selber wurde von meiner Förderin Stefi Geyer dort eingeführt, und auch das Ehepaar Schaichet war regelmässig unter den Gästen im 'Musenhospiz'. Oft wurde an solchen Nachmittagen auch musiziert. So habe auch ich dort gesungen.»

Später hat Maria Stader auf Initiative von Irma Schaichet nicht nur mit dem Kammerorchester Zürich mehrmals konzertiert, sondern auch mit der Pianistin zusammen Lieder interpretiert. Wie sehr sowohl das Ehepaar Schaichet als auch Maria Stader mit Lily Reiff befreundet waren, illustriert das Festkonzert, das anlässlich des 75. Geburtstages von Lily Reiff am 21. Juni 1941 im Lyceum-Club veranstaltet wurde und an welchem ausschliesslich Werke der Jubilarin aufgeführt wurden. Irma Schaichet begleitete die Sängerinnen Nina Nüesch und Maria Stader bei insgesamt acht Liedern und spielte dann auch noch «Kleine Variationen in Etüdenform für Klavier». Den Abschluss des Konzertes bildeten «Drei Reigen» für Streichorchester und Harfe, die Mitglieder des Kammerorchesters Zürich unter Alexander Schaichet und mit der Harfenistin Corinna Blaser zur Aufführung brachten.

Unter der jungen Generation von Musikerinnen und Musikern, die regelmässig im «Musenhospiz» verkehrten, befand sich nach Angaben von Maria Stader auch der junge Ungare Georg Solti, der wegen des Zweiten Weltkrieges in die Schweiz emigriert war. Irma Schaichet hat den bedrohten jüdischen Pianisten in seinem schwierigen Leben in der Schweiz unterstützt, hat ihn oft an den Hadlaubsteig eingeladen, hat ihm Schüler für den Unterricht (und damit für den Lebensunterhalt) vermittelt und hat auch mit ihm konzertiert, sodass der Kontakt mit dem später als Dirigent Weltkarriere machenden Musiker bis zu ihrem Tod nie ganz abriss.

Irma Schaichet, die sich in Zürich für den Emigranten Georg Solti so stark einsetzte, machte selber in dieser von Judenhass und Deportationen überschatteten Epoche des Zweiten Weltkrieges schlimme Zeiten durch. So bedeutete die Sorge um die noch in Ungarn verbliebenen Geschwister mit ihren Familien, die von nazistischen Judenverfolgungen bedroht waren, für Irma Schaichet eine schwere Belastung.[8] Schliesslich konnte sie ihren Verwandten bei der Ausreise nach Schweden und Amerika helfen. Immer wieder hat sich Irma Schaichet für andere Menschen eingesetzt, auch etwa, indem sie in Zürich immer wieder Wohltätigkeitskonzerte gab. Eine Soirée «zu Gunsten der Ärzte-Mission für die jüdische Bevölkerung in Budapest» vom April 1945 sei besonders erwähnt, da sie auch exemplarisch zeigt, wie stark verankert in Zürcher Künstlerkreisen Irma Schaichet war, wirkten doch an diesem Anlass so berühmte Persönlichkeiten wie Maria Becker, Therese Giehse, Wolfgang Langhoff und Max Lichtegg mit.

Nicht nur bei der Entdeckung aussergewöhnlicher Talente hat Irma Schaichet aktiv mitgewirkt, auch sonst hat sie sich stets für junge Musikerinnen und Musiker eingesetzt. So bildete sie einige Schülerinnen und Schüler zu Berufsmusikern aus, unter anderen Esther Kartagener, Richard Frank, Annemarie Brunner, Jaroslav Netter und Salvatore Antonaci. Und bei den Vortragsübungen der Schülerinnen und Schüler von Alexander Schaichet wirkte sie oft selbstlos als Begleiterin mit. Einer von diesen, André Jacot, erinnert sich gut an die Auftritte mit Irma Schaichet: «Sie hatte beim Auftreten etwas Majestätisches, eine unglaubliche Ausstrahlungskraft. Bei den Vortragsübungen mit uns jungen Schülern hingegen hatte sie die besondere Gabe, sich zurückzunehmen und sehr diskret und sicher zu begleiten.»

## Der grosse Zürcher Freundeskreis

Irma Schaichet war eine aussergewöhnliche Persönlichkeit von grosser Ausstrahlungskraft, wie übereinstimmend von «Augenzeugen» berichtet wird. Und so verstand sie es denn auch, in ihrer neuen Heimat in Zürich einen grossen und bedeutenden Freundeskreis aufzubauen. So sind neben den schon erwähnten Simon Goldberg, Georg Solti, Maria Stader und dem Ehepaar Reiff, die am Hadlaubsteig ein und aus gingen, auch die Pianisten Leo Nadelmann und Walter Frey, dessen Ehefrau Alice Frey-Knecht, sowie Géza Anda und Hortense Anda-Bührle zu nennen, mit denen das Ehepaar Schaichet verkehrte. In späteren Jahren waren es dann etwa auch András Schiff und Edith Peinemann.

Aber auch ausserhalb der Künstlerkreise war Irma Schaichet in Freundschaften mit bedeutenden einheimischen Familien verbunden, welche dem oft an der Existenzgrenze lebenden Künstlerehepaar durch stilles und selbstloses Mäzenatentum das Leben und ihre künstlerische Tätigkeit sicherten. Hier ist etwa die weitverzweigte Familie des Begründers der «Bank Julius Bär» mit Doucia und Walter Bär-Halpérine, Nelly und Werner Bär-Theilheimer und Ellen und Richard Bär-Lohnstein zu nennen. Die meisten Kinder dieser drei Familien gingen zudem zu Irma Schaichet in die Klavierstunden. Zu den engsten Freunden gehörten auch Marguerite und Walter Weber-Bürki, die Besitzer der Brauerei in Wädenswil. Deren Sohn Walter Weber erzählt, dass Irma Schaichet mit seiner Mutter Marguerite Weber, die eine schöne Sopranstimme besass, manchmal öffentlich im kleinen Kreis konzertierte. Irma und Alexander Schaichet, die oft mit ihren drei Kindern bei der Familie Weber auf der Halbinsel Au zu Gast waren, diese aber auch am Hadlaubsteig empfingen, hätten sein musikalisches Verständnis und das seiner Geschwister Paul Weber und Irene Kamer-Weber stark vertieft.

Schliesslich sind im Zusammenhang mit dem freundschaftlichen Mäzenatentum auch noch das Ehepaar Karr, das eine Getreidehandelsfirma in Zürich betrieb, die Familie Ganz, Fotogeschäft in Zürich, und Oskar Mertens, der eine Gartenbaufirma in Meilen hatte und lange Jahre Präsident des Kammerorchesters Zürich war, zu nennen. Alle diese Freund-schaften reichten weit zurück bis in die Zeit der Einbürgerung in Zürich und sie dauerten bis ans Lebensende.

Ruhiger wurde es um die Pianistin nach dem Tod von Alexander Schaichet im Jahre 1964, gab sie danach doch nur noch einen einzigen Bach-Abend im kleinen Kreis zum Gedenken an ihren Mann, um nachher nie mehr öffentlich aufzutreten. Umso intensiver widmete sie sich fortan dem Unterrichten, das sie bis kurz vor ihrem Tode weiterbetrieb. Irma Schaichet-Löwinger starb am 30. Juli 1988 in ihrem 94. Altersjahr.

*Handschriftliche Widmungskarte des langjährigen Chefdirigenten des Tonhalle-Orchesters Zürich, Volkmar Andreae, an Irma Schaichet.*

# Laudatio zum 90. Geburtstag von Irma Schaichet

*Walter Labhart*

*Der in Endingen (AG) lebende Walter Labhart ist freier Musik-schriftsteller, Musikforscher, Programmgestalter und Herausgeber von Instrumentalmusik des 19. und 20. Jahrhunderts. Er ist Verfasser zahl-reicher Bücher und Aufsätze unter anderen über Arthur Honegger, Paul Juon, Vladimir Vogel, Peter Mieg und Werner Wehrli. Als Musik-forscher widmet er sich vor allem der jüdischen und der slawischen Musik. Die folgende Laudatio hielt er am 7. Mai 1985 in der Halle des Stadthauses Zürich an einer Feier zu Ehren von Irma Schaichets 90. Geburtstag.*

## Liebe Frau Schaichet, liebe Gäste,

für einmal scheint man um die folgenden biografischen Notizen nicht herumzukommen. Der Name Irma Schaichet ist zwar längst ein weit über die Landesgrenzen hinausreichender Begriff in der Musikwelt, doch sind verlässliche Lebensdaten schwer herauszufinden. Schuld daran sind ganze neun Jahrzehnte, in denen sich viel Nennenswertes angesammelt hat, was sich als «unendlicher Dialog» der mit ihrer ungarischen Heimat immer noch eng verbundenen Künstlerin bezeichnen liesse. Da aber die neunzig Jahre jung gebliebene Jubilarin inmitten von vieler-lei Aktivitäten steckt und kaum Zeit findet, um sich an den Ein-gebungen ihres hellwachen Geistes zu freuen, ist es mir pein-lich, alte Daten hervorzukramen, die mittlerweile einen historischen Anstrich haben.

In Osteuropa zur Welt gekommen, seit dem Ersten Weltkrieg bei uns im Westen lebend, hat sich Irma Schaichet selbst in die-sen Tagen nie auf einem «west-östlichen Divan» niedergelassen, um sich endlich auszuruhen. Unermüdlich fährt sie mit Unter-richten fort, und das auf eine erstaunlich lebendige Weise, die den Eindruck erweckt, als hätte sie das Geheimnis ihrer erfolg-reichen Pädagogik eben erst entdeckt. Diese unbelastete, frische Art zeichnet indessen nicht nur die erfahrene Musikerzieherin aus, sondern auch die unverändert aussagestarke Pianistin. Als solche wird sie am Schluss dieser Feierstunde mit einer Bach-Bearbeitung ihres Lehrmeisters in Zürich, Ferruccio Busoni, zu uns allen sprechen.

Mit diesem Hinweis nähern wir uns bereits der Biografie dieser aussergewöhnlichen Frau und Künstlerin. Als Irma Löwinger in einer sechs Geschwister zählenden Familie eines einfachen Lebensmittelhändlers in Budapest am 15. April 1895 geboren, wurde unsere Jubilarin schon mit sechs Jahren in die damalige Königliche Ungarische Hochschule für Musik aufge-nommen, die heute den Namen Franz-Liszt-Musikakademie trägt. Dort liess sie sich erst in der Vorbereitungsklasse von Arnold Székely und Margit Weiss ausbilden, bevor sie in die so-genannte Akademieklasse von Árpád Szendy eintreten konnte. Nach dem 1914 erlangten Lehrdiplom setzte Irma Löwinger ihre pianistischen Studien in der von Béla Bartók geleiteten Konzertausbildungsklasse fort. Mit verblüffender Genauigkeit erinnert sich die Musikerin an das bei Bartók 1917 gespielte Programm ihres Konzertdiploms: Schuberts grosse Fantasie in G-Dur, Schumanns «Etudes symphoniques» op.13, Beethovens Sonate «Les Adieux» op.81a und J.S. Bachs dreisätzige Orgel-toccata in C-Dur in der sehr anspruchsvollen Konzert-bearbeitung von Busoni. Ihr entstammt das heute an diesem Ort zu hörende Adagio, das als Rückblick auf jene Studienjahre in Budapest erklingt. Busoni spielte fortan im Leben der Musikerin eine geradezu schicksalshafte Rolle.

Ihre Studien in der Geburtsstadt hatte Irma Löwinger ausge-weitet, indem sie die Klassen von Zoltán Kodály und Léo Weiner besuchte. Für Weiner, der fast auf den Tag zehn Jahre älter war als sie und Kammermusikunterricht erteilte, empfand sie jugendliche Verehrung, fühlte sie sich doch von seinen Kompositionen besonders angesprochen. Als die Pianistin mit grossem Konzerteifer, jedoch mit kleinem Geldbeutel 1917 nach Zürich kam, war es kein Geringerer als Busoni, der ihr in mehrfacher Hinsicht den Weg wies. Zwischen September 1917 und März 1918 arbeitete sie mit ihm an der Scheuchzerstrasse zusammen. Dort traf sich regelmässig ein grosser Teil der musikalischen Elite der Limmatstadt zu regem Gedankenaustausch und zum Vorspielen. Busoni wurde zum Retter aus finanzieller Not, als er von der bescheidenen Barschaft seiner ungarischen Privatschülerin hörte, die vorübergehend an die Musikhochschule nach Budapest hätte zurückkehren sollen. Er verschaffte ihr kurzerhand die Gelegenheit, einen seiner Schüler an einer recht lukrativen Stelle zu vertreten. Die klassisch ausgebildete Künstlerin musste sich dazu allerdings einen radikalen Kulissenwechsel gefallen lassen. Unter der Leitung eines Kapellmeisters namens Maicone hatte sie im Kino «Orient» in einem kleinen Ensemble jeweils Begleitmusik zu Stummfilmen zu spielen. Das war damals – inmitten des Ersten Weltkrieges und zur Zeit der Dadaisten – eine gut honorierte Alltagsangelegenheit für sonst brotlose Interpreten. Als einziges Verständigungszeichen, das den Ablauf der aus Märschen, Salonstücken und Tänzen zusammengesetzten Begleitmusik regelte, war von Seiten des Dirigenten ein kussähnliches Geräusch vereinbart worden. Eben spielten die Musiker zu einer schmachtenden Liebesszene das vor Rührseligkeit triefende «Gebet einer Jungfrau» von Tekla Badarczewska, als unter den Zuschauern ein verliebtes Pärchen originale Küsse auszutauschen begann. Unsere Pianistin missdeutete dieses trügerische Signal und intonierte sogleich den folgenden Marsch. Mit dem vermeintlichen «Musenkuss» endete die knapp einen Monat dauernde Karriere der von Busoni empfohlenen Begleitmusikerin, der nach diesem Patzer der Marsch geblasen worden war. Die unvergleichlich erfolgreichere Laufbahn der Solistin konnte beginnen. Ein paar Jahre später wurde die Pianistin bereits von namhaften Orchestern begleitet, die nichts mehr mit der Welt des Films zu tun hatten.

In Zürich liess sich die Musikerin, auch hierin von Busoni stimuliert und gut beraten, endgültig nieder. Hier begegnete sie 1918 dem vier Jahre zuvor aus der Ukraine eingewanderten Violinisten Alexander Schaichet, der ebenfalls erst in Zürich zur vollen Entfaltung seiner vielfachen Begabungen gelangte. Mit ihm zusammen, dem 1964 in dieser Stadt als angesehener Geiger, Bratschist, Dirigent und Musikpädagoge verstorbenen

Gatten und mit dem 1982 in Tel Aviv verschiedenen Komponisten und Cellisten Joachim Stutschewsky begann sich die Musikerin, für hierzulande noch unbekannte Werke ungarischer und jüdischer Tonschöpfer einzusetzen. Bald brach Irma Schaichet so gegensätzlichen Temperamenten wie Charles-Valentin Alkan und Ernst Toch, Béla Bartók und Karl Tausig, Moritz Moszkowski und Léo Weiner voll ansteckender Überzeugungskraft eine Lanze. Ihren Wirkungskreis als Förderin neuer Kompositionen erweiterte die allem Neuen gegenüber engagierte Pianistin mit der ihr eigenen Dynamik. Nebst Werken von Walter Lang und Albert Moeschinger hob sie in einem Konzert der Internationalen Gesellschaft für Neue Musik die 1932 entstandenen «Abbréviations» von Robert Oboussier aus der Taufe. Zur wortgemässen Dienerin am Werk wurde sie, als sie das Klavierkonzert von Theodor Diener zur Uraufführung brachte. Es versteht sich von selbst, dass die gebürtige Ungarin im Konzertsaal auch für ihren ehemaligen Lehrmeister Bartók eintrat und schon früh dessen didaktisches Schaffen in ihren privaten Klavierunterricht einbezog. Kurz nach der 1938 in Basel erfolgten Uraufführung stellte Irma Schaichet mit ihrem befreundeten Landsmann Georg Solti die von Bartók für zwei Klaviere und Schlagzeug komponierte Sonate erstmals dem Zürcher Publikum vor.

Noch bevor Paul Sacher im Jahre 1926 das «Basler Kammerorchester» ins Leben rief, hatte Alexander Schaichet als erster in der Schweiz ein auf barocke und zeitgenössische Werke spezialisiertes Kammerorchester gegründet. Das 1920 zusammengestellte Ensemble hiess «Kammerorchester Zürich». Ohne hier wertend zu wirken, darf ich dieses 1943 aufgelöste pionierhafte Orchester Alexander Schaichets vom kommerziell ausgerichteten «Zürcher Kammerorchester» unter Edmond de Stoutz folgendermassen unterscheiden: Bei Alexander Schaichet stand bei seiner Orchesterarbeit die Entdeckung und Förderung unbekannter Komponisten im Vordergrund. In der Saison 1921/22 wartete sein pionierhaftes «Kammerorchester Zürich» mit Uraufführungen von August Reuss und Richard Zoellner sowie mit einer Erstaufführung von Bernhard Sekles auf. 1923 folgte die Premiere von Werner Wehrlis Sinfonietta für Klavier, Flöte und Streichorchester, ein Jahr später diejenige der Drei Reigen für Harfe und Streicher von Lily Reiff, umrahmt von Schönbergs «Verklärter Nacht» in der Fassung für Streichorchester. Nach 1925 vergrösserte sich die Präsenz der Neuen Musik auf den Programmen des «Kammerorchesters Zürich» zusehends. An das Violoncellokonzert von Ernst Toch und Heinrich Kaminskis Concerto grosso für Doppelorchester schlossen sich die Cinque Etudes für Klavier und Orchester von Darius Milhaud und die drei Dorfszenen für Frauenstimmen und Kammerorchester von Béla Bartók an, gefolgt von der 3. Sinfonie des Busoni-Schülers Robert Blum und von Alfred Casellas Concerto romano. In den dreissiger Jahren zählten neben dem Klavierkonzert op.36 Nr.1 von Paul Hindemith und der Trilogie «O Lacrimosa» von Ernst Křenek das Concertino von Leoš Janáček und Bohuslav Martinůs Partita zu den Neuheiten, die mit Werken der Schweizer Komponisten Conrad Beck (Konzertmusik für Oboe und Streichorchester), Willy Burkhard (Fantasie op.40), Paul Müller-Zürich (Bratschenkonzert) und zu weiteren Schöpfungen von Robert Blum kontrastieren.

Selbstverständlich wirkte Irma Schaichet in etlichen Präsentationen der damaligen Avantgarde aus Ost und West als Solistin mit. Daneben trat sie in Klavierkonzerten mit grossen Sinfonieorchestern unter so bekannten Dirigenten wie Volkmar Andreae, Hermann Scherchen, Erich Schmid, Georg Solti und Felix Weingartner auf, um Werke von Beethoven, Mozart, Schumann und Tschaikowsky darzubieten. Dass sie das klassisch-romantische Repertoire trotz ihrem leidenschaftlichen Einsatz zugunsten von neuer Musik nie vernachlässigte, können nicht zuletzt ihre vielen Schüler und Schülerinnen bestätigen.

Verzeihen Sie, liebe Frau Schaichet und liebe Gäste, dieses so ganz und gar retrospektive Aufzählen von Fakten und Verdiensten, die an einen Nekrolog gemahnen – an einen Nekrolog bei Lebzeiten einer aktiven Künstlerin, die doch mitten im Musikleben unserer Zeit steht und an zahlreichen Veränderungen – nicht nur in der Zürcher Musikszene – mit beneidenswert regem Interesse teilnimmt. Wenn ich ergänzend

festhalte, dass unsere Jubilarin im letzten Jahr für ihr hervorragendes künstlerisches und pädagogisches Wirken von der Franz-Liszt-Musikakademie Budapest mit einem Ehrendiplom ausgezeichnet wurde, ertappe ich mich von neuem bei der doch so uneleganten Erwähnung von bereits Altem.

In Anspielung an Bartóks «Mikrokosmos» bleibt mir nicht erspart, mit ein paar wenigen Andeutungen etwas vom Makrokosmos der nachschöpferischen und musikerzieherischen Leistung Irma Schaichets wiederzugeben. Beträchtlich ist die Zahl der im Konzertsaal vorgetragenen Meisterwerke der Klavierliteratur von der Bach-Zeit bis zur Gegenwart, äusserst beeindruckend die Vielfalt der vor allem in Zürich vorgestellten Neuheiten und vergessenen Raritäten. Beachtenswert ist auch die Zahl der bis zur Konzertreife ausgebildeten Pianisten und Pianistinnen, von denen hier nur Richard Frank, Mathilde Freitag, Annette Ganz, Esther Kartagener und Rita Widmer genannt seien. Zu erwähnen sind ferner die vielen Interpreten, die sich – wie beispielsweise Hanni Schmid-Wyss und Zsuzsanna Sirokay – nach längst absolviertem Konzertdiplom von Zeit zu Zeit zur Zusammenarbeit mit unserer verehrten «Grande Dame du Piano» in ihrem Zürcher Heim am Hadlaubsteig 6 einfinden, um von unerschöpflichen Erfahrungen und hilfreichen Ratschlägen zu profitieren. Im Unterschied zu den beiden Pianistinnen, die wir bald mit tschechischen und ungarischen Werken hören werden, besucht Salvatore Antonaci diese sogenannte «Schaichet-Kur» nicht, reiht er sich doch in die vielen Schüler ein, die bis zum Abschluss ihrer pianistischen Ausbildung unter Irma Schaichets Aufsicht arbeiten.

Zum musikalischen Programm dieser Feierstunde im Stadthaus Zürich darf ich abschliessend noch bemerken, dass es symbolischerweise mit Busonis Transkription von Bachs Orgeltoccata ausklingt, indem es das offizielle Bach-Jahr (300. Geburtstag) mit Ferruccio Busonis Zürcher Jahren (1915–1919) in

*Walter Labhart während seiner Laudatio im Stadthaus Zürich. Unter den Gästen sind neben Irma Schaichet auch Zsuzsanna Sirokay und der damalige Stadtpräsident, Thomas Wagner, sowie die Sängerin Maria Stader (zweite von rechts) zu erkennen. In der zweiten Reihe sitzen Ilse Bär und die Geigerin Edith Peinemann.*

Verbindung bringt und darüber hinaus mit den Anfängen von Irma Schaichets künstlerischer Laufbahn zu tun hat. Die mit mehreren Raritäten angereicherte Werkfolge spannt den Bogen von Osten zum Westen, um gleichermassen den Weg der Pianistin anzudeuten. Einige der hier kaum bekannten Kostbarkeiten hat Hanni Schmid-Wyss in einer Schallplattenein-

spielung der Zürcher Firma Jecklin festgehalten, darunter folkloristisch inspirierte Stücke von Janáček, Smetana und Suchoň, die am heutigen Tag erstmals in Zürich erklingen. Sie setzen nicht nur ihren Komponisten, sondern auch der Interpretin und ihrer gewissenhaften Beraterin ein tönendes Denkmal, an dem wir uns alle erfreuen können.

# m 19. Jahrhundert verwurzelte Klavier-Tradition

*Richard Frank*

Die Klavierpädagogin Irma Schaichet stand in einer vielschichtigen Beziehung zu ihrem künstlerischen Vorfahren und Landsmann Franz Liszt. Schon mit acht Jahren wurde die junge Musikerin in die Franz-Liszt-Akademie aufgenommen, in jenes Kulturinstitut also, das auf Betreiben von Liszt in Budapest gegründet wurde. Liszt war dort auch Ehrenpräsident und hatte an der Akademie jeden Winter unentgeltlich eine Klavierklasse unterrichtet. Zu seinen Schülern zählte István Thomán, der später Klavierlehrer von Béla Bartók war. Irma Schaichet besuchte am gleichen Institut die Konzertklasse von Bartók und erwarb 1917 mit der Sonate in h-moll von Liszt das Konzertdiplom. Die Schülerinnen und Schüler von Irma Schaichet dürfen sich also rühmen, in gerader Linie als vierte Generation der «Liszt-Schule» zu gelten.

Von Bartók wurde Irma Schaichet nach ihrem Abschluss für weitere Studien zu Ferruccio Busoni nach Zürich geschickt (1917 bis 1918). Busoni wiederum stand unter direktem Einfluss der Kunst von Franz Liszt. Seine pianistische Kapazität war die Fortsetzung der Errungenschaften Liszts. Ebenso gründeten seine kompositorischen Tätigkeiten auf der Aesthetik von Liszts Spätwerk. Irma Schaichets Eintreten für die Musik von Alkan (Protégé von Liszt), Tausig (Liszt-Schüler) und vielen weiteren ungarischen und zeitgenössischen Komponisten demonstriert jenen Geist und Idealismus, den Liszt praktizierte und auf seine Schüler übertrug: Jenen Geist, der die eigene Person nicht in den Mittelpunkt stellt und selbstlos das Wesentliche und Schöne in anderen fördert. Die pianistische und humanistische Tradition Ungarns, der Irma Schaichet stark verpflichtet war, kam auch ihren Schülern implizit zu Gute.

Der Unterricht von Irma Schaichet, den ich als SMPV-Ausbildungsschüler von 1969 bis 1974 bei ihr in Zürich erleben durfte, war stets gegenwartsbezogen, denn selten liess die Pädagogin etwas von ihrer eigenen künstlerischen Bildung durchblicken. Bei den mehrmaligen Aufforderungen, aus ihren Erinnerungen etwas niederzuschreiben, winkte sie stets charmant verneinend ab. Es waren ihre Schülerinnen und Schüler, die sie interessierten und die sie mit ihrer buchstäblichen Begeisterungsfähigkeit anfeuerte, Überdurchschnittliches zu leisten. Der folgende Brief, den mir Irma Schaichet im November 1987 aus Zürich schrieb, dokumentiert ihre leidenschaftliche Art: «Lieber Richard, Du hast mir mit Deinen so lieben, wesentlichen Zeilen grosse Freude gemacht und ich möchte Dir ganz herzlich dafür danken. Der Brief ist eine freudige Bestätigung für mich: mein erster Eindruck von dem jungen Richard, wo ich neben dem eminenten musikalischen Talent den Menschen spürte, den Menschen, der mit seiner Ausstrahlung viel für seine Zukunft versprach und mir sofort nahe stand. Nun scheint sich Vieles zu erfüllen: es gelang und gelingt Dir Vieles: wie freut es mich!!... Nun habe ich vor zwei Tagen auch das Tonband mit Dank erhalten. Ich habe es einige Male angehört und möchte Dir sagen: es ist grossartig!! Das Zusammenspiel mit Hanni ist fast rätselhaft für mich: man weiss, dass es zwei Klaviere sind, man hört aber nichts! Es klingt brillant, ja hinreissend virtuos im Klang, in der Einheit der Spielfreude auch Deine Melodramen: gross in der Gestaltung und ein absolutes Fortsetzen des Inhaltes vom Gesprochenen. Ja, alles zusammen: ein ganz deutliches Wachsen Deiner Persönlichkeit, Deiner Aussage in der Musik!! Ich freue mich mit Dir, Du bist auf dem allerbesten Weg!»

Wann immer ich den kleinen Musiksalon Irma Schaichets am Hadlaubsteig 6 betrat, hatte ich das Gefühl, in einen Tempel der Kunst, in eine Art «Heiligtum» zu treten. Auf dem schon recht verbrauchten und deshalb schwer spielbaren Steinway-Flügel, den die berühmte Zürcher Pianistin ein Leben lang nur in Miete hatte, stand ein Foto von Alexander Schaichet, und gegenüber dem Flügel hing ein Oelbild von ihm, gemalt von Walter Sautter. Den Kaffeetisch schmückten stets die frischen Blumen von einem Gönner, und an der Wand stand ein

Büchergestell, dessen reiche Sammlung den Schülern zur Verfügung stand. Wie ist das Gefühl der Erhabenheit zu begreifen, das mich jedesmal ergriff, und das nicht durch Reichtum und grosse Ausmasse ausgelöst wurde? Was ich einst regelmässig und wie in Trance während der Klavierstunden genoss, erklären zum Teil die Nachforschungen, die ich nach dem Tod von Irma Schaichet machte.

Aus diesem Grund müssen wir uns einen grossen Schritt in die Vergangenheit begeben, zu jenem Punkt, wo die pianistische Vergangenheit und Zukunft im Genie von Franz Liszt (1811–1886) zu einem Brennpunkt wurde. Mit Liszt, der auch heute noch als Vaterfigur der meisten Pianisten zu begreifen ist, soll der Anfang jener Linie angedeutet werden, der direkt zu Irma Schaichets Ausbildung führt.

### Die pädagogische Pionierarbeit von Franz Liszt in Budapest

Franz Liszts letzter Lebensabschnitt, sein «vie trifurquée», spielte sich in Weimar, Rom und Budapest ab. Hauptakzent seiner Tätigkeiten war die Pädagogik, das bewusste Weitergeben seines künstlerischen Erbes an eine junge Pianisten- und Komponistengeneration, was sein Vertrauen in die Zukunft zeigt, die ihm einmal die erhoffte Wertschätzung seiner künstlerischen Mission und Stellung in der Musikgeschichte einbringen sollte. Zwar wird Liszt auch heute noch als grösster Pianist betrachtet, aber als Komponist stösst er immer noch auf Widerstand, womit das von ihm selbst immer wieder besungene Lied vom missverstandenen Genie durch den «Tasso», den «Mazeppa», «Der Blinde Sänger» u.s.w. bestätigt wird. In den Unterrichtsstunden muss jedoch von Liszt Wertvolles weitergegeben worden sein, wie sonst könnten wir die in Etappen sich wiederholenden Begeisterungsbeteuerungen grosser Komponisten und Interpreten bis heute erklären.

*Franz Liszt, der Begründer der virtuosen, ungarischen Klaviertradition.*

1865 reiste Franz Liszt aus Rom nach Pest, wo er im neueröffneten Redoutensaal sein Oratorium «Die Legende von der heiligen Elisabeth» dirigierte. Anlass zu dieser Einladung war das 25-Jahrjubiläum der Pest-Budaer Musikschule, die Liszt während seines ersten Besuches in Pest 1840 mitbegründete. 1871 erwirkte Graf Andrassy beim Ministerium für Liszt eine jährliche Jahresrente von 4000 Gulden, worauf er sich veranlasst fühlte, jährlich eine bestimmte Zeit – meistens von mitte Januar bis mitte April – in Budapest zu leben. Bereits drei Jahre früher war der Plan zur Gründung einer Musikhochschule entstanden, welchem dann 1872 das Parlament zustimmte und Liszt den Auftrag erteilte, deren Organisation zu übernehmen. Am 30. März 1875 erfolgte vom Erziehungsministerium die Ernennung zum «Präsidenten der ungarischen Landesmusikakademie mit der Vergünstigung einer freien Wohnung». Bereits am 14. November desselben Jahres wurde vom Ministerium das Wohnhaus am Fischplatz mit 16 Zimmern gemietet und somit die Akademie offiziell eröffnet. Ausser Franz Liszt als Präsidenten, der jeweils Dienstags und Freitags mit je vier Stunden die höchste Klavierausbildungsklasse unterrichtete, hatte die Akademie als weitere Lehrkräfte den Direktor der Akademie, Ferenc Erkel für das Fach Klavier, Kornél von Abrányi für das Fach Theorie und Robert Volkmann für das Fach Komposition angestellt. Dazu kam noch der Hilfsdozent Sándor Nikolics. Das erste Schuljahr wies bei 29 Unterrichtsstunden die beachtliche Zahl von 39 eingeschriebenen Schülern auf. Die Aufnahmeprüfung bestand aus einer Klavierprüfung im Vortrag eines Sonatenhauptsatzes der Klassik sowie einem Blattspiel, und Liszt wählte dann jeweils die von Erkel aufgenommenen Schüler aus. Am 2. März 1876 unterrichtete Liszt erstmals seine Klasse von neun Schülern und am 26. März hielt er seine erste «Musikmatinee» ab, die als erstes Konzert des neuen Institutes zu verstehen ist.

Im fünften Studienjahr erfolgte der Umzug der Akademie in das neue Gebäude an der Sugar utca, der heutigen Andrassy utca, der Prachtstrasse von Pest. Dort bezog Liszt am 20. Januar 1881 seine neue Wohnung, die heute als Gedenkstätte zugänglich ist. Liszt unterrichtete an der Akademie unentgeltlich, weshalb seine Klasse nicht nur aus eingeschriebenen Schülern bestand, sondern sehr zum Ärger der Schulleitung auch von vielen Privatschülern aus ganz Europa besucht wurde. Im achten Schuljahr finden wir unter den Schülern erstmals den Namen István Thomán, der neben sieben Kommilitonen bei Liszt mit grossem Erfolg studierte. So kam Thomán im 1. und 3. Studienjahr in den Genuss eines Stipendiums von 200 Gulden, das die Stadt Pest ab 1873 zum 50-jährigen Jubiläum des Kunstschaffens von Franz Liszt auf dessen Vorschlag jenen Studenten vergab, die sich «durch besondere musikalische Leistungen auszeichneten und in der Pflege der ungarischen Musik echte Fortschritte zeigen».

Liszt war jeweils nur zwei drei Monate in Pest, sodass seine Schüler die übrige Zeit des Studienjahres bei Ferenc und dessen Sohn Gyula Erkel und Henrik Gobbi erhielten. Dies entsprach der Norm, denn Liszt war nie ausschliesslicher Lehrer eines seiner mehreren hundert Schüler. Trotzdem wurde er von seinen Schülern sehr geschätzt, was mit seiner Art als Pädagoge zusammenhing. So spielte er immer ernsthaft und aufrichtig Werke junger Komponisten vor oder liess diese vorspielen, und so hielt er Schritt mit der Zeit und blieb selber jung. Immer war es seine Absicht, die instrumentale Ausbildung mit kompositorischen Kenntnissen zu koppeln. Noch 1885 hegte er die Absicht, «Vorlesungen über Theorie und Praxis der musikalischen Komposition, Harmonie, Formen- und Instrumentations-Lehre im Concertsaal der königlichen ungarischen Musikakademie» zu halten, die aber wegen seiner Sehbeschwerden ausfielen. Liszts 11-jähriges Wirken an der Akademie, in dessen Verlauf er 48 Schüler unterrichtete, könnte als «die Annäherung an das Ideal, die höchste Weihe» verstanden werden.

## Fortsetzung der pädagogischen Arbeit durch István Thomán

Zu einem wichtigen Sachwalter von Franz Liszts Schaffen und Wollen in Budapest wurde dann István Thomán (1862–1940), der auch die späteren Lehrer von Irma Schaichet, Arnold

Székely und Béla Bartók, unterrichtete. Thomán wurde am 4. November 1862 in Homonna in Oberungarn geboren und starb 1940 in Budapest. Sein Vater war Chefarzt des Komitatspitals in Homonna und förderte als Musikliebhaber seinen Sohn frühzeitig, sodass István zusammen mit seinem Lehrer, dem Kirchenorganisten Johann Pundi, schon mit sieben Jahren Erkels «Hunyadi László» vierhändig spielte. Das Gymnasium absolvierte István in Kassán in der Slowakei, wo er beim böhmischen Kapellmeister Karl Hoditz weiteren Klavierunterricht bekam. Nach dem Schulabschluss studierte Thomán zuerst Medizin in Wien und wechselte dann zum Jura-Studium nach Pest. Gleichzeitig bewarb er sich aber an der Musikakademie, wurde jedoch von der Prüfungskommission, die aus Erkel, Gobbi und Nikolic bestand, abgewiesen, weil er ausschliesslich Opernpartien und Salonstücke vortrug, all das, was ihn sein Musiklehrer gelehrt hatte. Dank der Protektion von Graf Anton Zichy, dem grossen ungarischen Liszt-Freund, wurde Thomán aber nachträglich doch noch aufgenommen und besuchte ab 1879 die Akademie. Nach 1882 waren Erkel und Liszt seine Klavierlehrer. Als Ödön Mihalovich nach Liszts Ableben die Leitung der Anstalt übernahm, bot er 1888 dem mittlerweilen 26-jährigen Thomán den Klavierlehrstuhl an, den dieser 18 Jahre lang innehatte. Danach ging Thomán in Pension und leitete seither seine eigene Musikschule, die er bis zu seinem Tod erfolgreich führte. Bekannt waren die vielen Hauskonzerte, die zu einem Stelldichein der ansässigen und reisenden Künstlerinnen und Künstler des Budapester Musiklebens wurden. Daneben war er auch als Komponist tätig.

Thomán hat mehrmals seine Erinnerungen an die Studienzeit bei Liszt niedergeschrieben, so auch in der Liszt-Nummer der Zeitschrift «Muzsika» von 1929, die interessante Einblicke in Liszts Wirken und das Verhältnis zu seinem Schüler István Thomán gibt: «Liszt betonte mehr als einmal, dass er ein Landsmann von mir, und ein treuer Sohn seiner ungarischen Heimat sei. Gerade in diesen schweren Zeiten erinnere ich

*Die neue Franz-Liszt-Musikakademie in Budapest (um 1907), wo Irma Schaichet unter anderen bei Béla Bartók ihre Ausbildung erhielt.*

mich gern daran. Auf eine Photographie, die er mir verehrte, schrieb er (in deutscher Sprache) 'Meinem Landsmanne, dem Künstler Stefan Thomán freundlichst – Franz Liszt'. Er war ein Ungar und hat dies des öfteren bewiesen. Ich war vierundzwanzig Jahre alt und im zweiten Jahrgang der Musikakademie. Franz Erkel unterrichtete damals im Klavierspiel. Meine Stunde fiel auf Donnerstag nachmittag. Unmittelbar vor mir spielte Gisela Neuman, die nachherige ausgezeichnete Liszt-Schülerin, Erkel vor, der jeden seiner Zöglinge separat unterrichtete. Wir durften bei Erkel nicht in dem Lehrsaal anwesend sein, so wie dies bei Liszt üblich war. An diesem Tag spielte ich Erkel die Waldstein-Sonate vor. Plötzlich trat Liszt ins Zimmer und winkte mir, das Spiel fortzusetzen. Er setzte sich neben mich an das Klavier. Rechts sass er, links Erkel. So ergriffen und verlegen war ich noch nie in meinem Leben gewesen. Als ich nun endlich fertig war, bemerkte Liszt nur soviel, ich solle mich am nächsten Tag zur Zeit des Unterrichts auch im grossen Lehrsaal der Anstalt einfinden. Dies war schon deswegen von ausserordentlicher Bedeutung, weil der Meister seine Zöglinge nur aus den Reihen der Akademiker des vierten Jahrgangs zu rekrutieren pflegte. Am nächste Tag ging ich freudetrunkenen Herzens zu der Unterrichtsstunde des Meisters. Er fragte uns, woher wir herstammten, was unsere Pläne, unsere Herzenswünsche in bezug auf die Musik wären. Dann hiess er mich, mich an das Klavier zu setzen, und hörte meinem Spiel zu, ohne die geringste Bemerkung zu machen. (Ich trug seine Etude in f-moll vor.) Bei einem der Übergänge gebot er mir Einhalt und fragte lächelnd und auf mein Kaschauer Musikstudium anspielend: 'Welcher Kaschauer Edition gemäss spielen Sie diese Etüde?' Er zeigte mir, dass ich bei einer Übergangspartie andere Töne angeschlagen hatte, als sie vorgeschrieben seien. Seit dieser scherzhaften Bemerkung habe ich mir's für Lebenszeit vorgenommen, mir jeden Notenkopf auf das genaueste anzusehen. Wenn irgendeiner der Zöglinge ein Stück nicht ganz einwandfrei vortrug, versäumte es der alte Herr nicht, zu bemerken: 'Nun, das ist wohl auch aus einer Kaschauer Edition...' Der letzte Tag, den der Meister in Budapest verbrachte, war der 11. März 1886. Für diesen Tag war schon lange vorher mein erstes Konzert ange-

setzt, das in dem Bürgerkasino des VII. Bezirks in der Sugár-ut – heute steht an der Stelle das Pariser Warenhaus – abgehalten wurde. In den dem Konzert vorangehenden Tagen kriegte ich es dermassen mit der Angst zu tun, dass ich es absagen wollte. 'Ich setze Ihnen die Pistole an die Brust, wenn sie nicht spielen', drohte Liszt. Ich gab mein Konzert, das Liszt, in der ersten Reihe sitzend und stets applaudierend, bis zu Ende mit anhörte. Ich verbuchte dies als um so grössere Ehre, als der Meister zwei Tage früher verreisen wollte und nur meines Konzertes wegen in Budapest blieb. Er ging nach dem Konzert auch nicht mehr nach Hause, sondern geradewegs zum Bahnhof, wo ihn sein Diener mit dem Gepäck erwartete. Im Verein mit einigen seiner Schüler begleitete ich ihn zum Bahnhof hinaus, wo er uns noch zu einem Abschiedsessen in dem Speisesaal der Bahnhofsrestauration einlud. Ich sah ihn damals zum letzten Mal, den Unvergesslichen... Im Sommer des gleichen Jahres starb er. ... So oft ich von ihm spreche, wird es mir bewusst, was er uns bedeutete.»

István Thomán hatte in folgenden Zeitabschnitten Unterricht bei Franz Liszt: In Pest vom 4. Februar bis April 1882; in Pest vom 14. Januar bis 31. März 1883; in Pest vom 4. Februar bis 21. April und vom 17. November bis 8. Dezember 1884; in Pest vom 30. Januar bis 12. April 1885; in Weimar vom 19. August bis 7. Oktober 1885; in Rom vom 11. November bis 31. Dezember 1885 und in Pest vom 30. Januar bis 12. März 1886. In dieser Zeit hat sich Thomán in Liszts Unterricht ein breites Repertoire für Vorträge erarbeitet: Mendelssohns «Fuge» (15. März 1883 in Pest), Volkmanns Konzertstück für zwei Klaviere (16. März 1884 in Pest), Liszts XVI. Rhapsodie (Pest 1885) Chopins «Scherzo» (19. August 1885), Beethovens Sonate op. 81a «Les Adieux» (7. September 1885 in Weimar), Chopins Préludes in h-moll, G-Dur und F-Dur (11. November 1885 in Rom), Liszts «Saint François de Paule marchant sur les flots» (13. November 1885 in Rom), zwei Stücke von Scarlatti-Tausig (28. November 1885 in Rom), Chopins X. Polonaise (1. Dezember 1885 in Rom), Liszts Consolation Des-Dur (5. Dezember 1885 in Rom), Schumanns Novelette D-Dur (8. Dezember 1885 in Rom), Liszts XVI. Rhapsodie (10. Dezember 1885 in Rom),

Chopins Fantasie f-moll op. 49 (15. Dezember 1885 in Rom), Alkans Mozart-Motett (31. Dezember 1885 in Rom), Liszts Spanische Rhapsodie (4. März 1886 in Pest) und die Zigeunerweise (6. März 1886 in der letzten Stunde in Pest). Das von István Thomán in seinen zitierten Erinnerungen erwähnte Debut-Rezital, das am 11. März 1886 in Anwesenheit von Franz Liszt stattfand, umfasste folgende Werkfolge: Eine Sonate von Beethoven, Werke von Tausig und Chopin, die Fantasie und Fuge in g-moll von Bach-Liszt und Liszts Werke «Saint François de Paule marchant sur les flots», «Liebestraum Nr. 3», Konzertetude «La leggierezza» und «Rhapsodie espagnole».

Von Liszts Pädagogik übernahm Thomán das Verständlichmachen des Werkes, die absolut freie Entfaltung der künstlerischen Anlagen der Schülerinnen und Schüler. Beide Pädagogen forderten nicht Nachahmung, sondern die Wiedergabe des Werkes auf dem Klavier «aus innerster Seele», weil sonst das Ergebnis nichts taugt. Diese Maxime vertrat auch Irma Schaichet mit ihrer Forderung «des Wesentlichen» in der Interpretation. So ist es zu erklären, dass so verschiedene Künstler wie Ernst von Dohnányi – ein Brahmsianer –, Béla Bartók – der Revolutionär –, Arnold Székely – Professor an der Akademie und Lehrer von Irma Schaichet –, und Fritz Reiner – der amerikanische Dirigent – aus Thománs Schule hervorgingen. Bartók (1881–1945) äusserte sich 1927 zum 40-jährigen Jubiläum der Künstlerlaufbahn Thománs, dass dieser stets den Schülern geduldig und zu jeder Zeit alles vorspielte, um so die korrekte Idee beim Schüler zu erwecken, aber nicht aufzudrängen. Des weiteren ermunterte Thomán das Anhören grosser Künstler und förderte frühzeitig das Vorspiel der Studentinnen und Studenten in seinem Salon, so wie es Liszt schon tat. Auch gab Thomán seinen Zöglingen Zugang zu seiner Bibliothek, vor allem zu Biographien grosser Komponisten, um so die Gesamtpersönlichkeit dieser Künstler in der Seele der Schüler zu wecken. Thomán war für Bartók immer der väterliche Freund und Beschützer. Den Charakter seines Lehrers beschreibt er als taktvoll, geduldig, arbeitsam und von tiefwurzelnder Menschenliebe. Bartók erwähnt auch, dass Thomán ihn die korrekte Handposition lehrte und all die natürlichen und summarischen Bewegungen, welche die neueste Pädagogik in ein echtes theoretisches System gebracht hat. Dazu kam noch die Anwendung des poetisch gefärbten Klavierklanges. Thomán hat seine klaviertechnischen Erfahrungen in dem 6-bändigen Werk «Grundlage der Klaviertechnik – Tägliche Studien zur Aneignung einer gleichmässigen und virtuosen Spielart» niedergelegt, die kurz nach Erscheinen im Lehrplan für das Fach Klavier an der Akademie eingebaut wurde. Der Studiengang umfasste damals drei Jahrgänge Übungsklasse, drei Jahrgänge Vorbereitungsklasse und zwei Jahrgänge Ausbildungsklasse, also total acht Jahrgänge. Das Werk ist im Reprint bei Editio Musica Budapest erhältlich. Unter Thománs Werkverzeichnis finden sich viele viruose Salonstücke, wie z.B. das Intermezzo, eine Oktavstudie, die dem Liszt-Schüler und Kollegen Bernhard Stavenhagen zugeeignet ist, aber auch sechs ungarische kleine Fantasien, die bereits Bartóks Opus «Für Kinder» heraufzubeschwören scheinen.

## Béla Bartóks Klavierunterricht

Der am 25. März 1881 im heutigen Rumänien geborene Béla Bartók erhielt seinen ersten Klavierunterricht bei seiner Mutter. Mit der Übersiedlung nach Pressburg, wo er das Gymnasium besuchte, wechselte er zu den Klavierlehrern Lazlo Erkel und Anton Hyrtl. Dort machte Bartók auch die Bekanntschaft mit Ernst von Dohnányi, seinem jugendlichen Idol. Dohnányi überzeugte Bartók, sich bei seinem eigenen Lehrer, István Thomán, an der Akademie vorzustellen, was Bartók 1899 noch vor dem Schulabschluss tat. Thomán war von Bartóks Talent sogleich überzeugt und sicherte ihm einen Studienplatz an der Akademie zu. Wenige Monate nach diesem Treffen erhielt Bartók in Pressburg eine Einladung von Thomán zu einem Konzert, in welchem Hans Richter die 9. Symphonie von Beethoven dirigierte. Dies war der Anfang der väterlichen Betreuung durch Thomán, der dem jungen Bartók auch empfahl, Kompositionsunterricht bei Hans Koessler zu nehmen, einem deutschen Musiker aus Köln, der noch zu Liszts Lebzeiten

Nachfolger von Volkmann im Fach Komposition, Orgel und Chorgesang in Budapest wurde. Koessler war auch der Lehrer von Dohnányi und Kodály. Von 1899 bis 1903 war Bartók dann Schüler von Thomán und Koessler an der Akademie.

Béla Bartók hat sich folgendes Repertoire in Vorträgen während Thománs Unterricht angeeignet: Beethovens Klavierkonzert Nr. 3 c-moll, 1. Satz (31. März 1900), Liszts Sonate h-moll (21. Oktober 1901), Chopins Nocturne cis-moll und die Etude c-moll (Dezember 1901), Liszts-Schuberts «Erlkönig» (Dezember 1901), Chopins Barcarolle (Dezember 1901), Liszts Etude d'exécution transcedante d'après Paganini Nr. 6 a-moll (26. Mai 1902), Schumanns Sonate Nr. 1 fis-moll (18. Dezember 1902), Strauss-Bartóks «Heldenleben», Klavierfassung (22. Dezember 1902), Dohnányis Klavierquintett c-moll (21. März 1903), Bartóks «Träumerei», Studie für die linke Hand, I. Thomán zugeeignet (27. März 1903) und Liszts Spanische Rhapsodie (letzte Prüfung am 25. Mai 1903). Davor hatte Bartók am 13. April 1903 sein Debut-Rezital in Nagyszentmiklós, seiner Geburtsstadt gegeben.

Zu Bartóks Interpretation der Sonate von Liszt schrieb das Budapester Journal: «Als erster spielte Béla Bartók (ein Schüler Thománs) die Sonate in h-moll von Liszt mit stahlharter, überraschend entwickelter Technik. Dieser junge Mann ist in den vergangenen zwei Jahren aussergewöhnlich kräftig geworden. Noch vor zweieinhalb Jahren stand er körperlich auf derart schwachen Beinen, dass ihn die Aerzte nach Meran schickten, damit ihm der kalte Winter in Budapest nichts anhaben könne. Und nun donnert er am Klavier wie ein kleiner Jupiter. Tatsache ist, dass es heute keinen unter den Klavierschülern der Akademie gibt, der mit grösserem Erfolg den Spuren Dohnányis folgen könnte.»

Béla Bartóks umfangreiches Liszt-Repertoire enthielt ferner folgende Werke: «Tannhäuser-Ouvertüre» (Wagner-Liszt, 1898), «Etude d'exécution transcendante» Nr. 10 (1902), Rhapsodie espagnole mit Orchester (Liszt-Busoni, 1904), Weinen, Klagen,

*Béla Bartók zur Zeit, als er als junger Professor an der Musikakademie in Budapest Irma Schaichet unterrichtete.*

Sorgen, Zagen nach Bach (1904), Funérailles aus den «Harmonies» (1904), 1. Mephisto-Walzer (1904), Totentanz für Klavier und Orchester (1905), Etude d'exécution transcendante Nr. 5 (1905), Cantique d'amour aus den «Harmonien» (1905), 1. Klavierkonzert (1911), 3. Années de Pélerinage Nr. 2/4/5/7 (1928), Concerto pathétique für zwei Klaviere (Partnerin war 1936 seine Frau Ditta, Partner war 1939 Ernö von Dohnányi) und 1. Années de Pélerinage Nr. 7 (1937). Nach dem Abschluss im Jahre 1903 beschäftigte sich Bartók, wiederum angeregt von Dohnányi, vermehrt mit dem Werk von Franz Liszt. In seiner Autobiographie von 1921 schreibt er: «Ich empfand sie (die Musik Liszts) nun als eine um vieles höhere als diejenige sowohl von Wagner als auch von Strauss.»

Das Jahr 1905 wurde für Bartók sehr wichtig, gilt es doch als Jahr der ersten Begegnung Bartóks mit der Volksmusik und als Jahr des Beginns der Freundschaft mit Zoltán Kodály. Bereits ein Jahr später publizierten sie gemeinsam die «20 ungarischen Volkslieder», die als einen historischen Wendepunkt der Musikgeschichte betrachtet werden. Es sei hier aber vermerkt, dass schon Franz Liszt 1873 «5 ungarische Volkslieder» geschrieben hatte. Auf Anregung von Liszt wurden 1886 an der Akademie zudem «25 original ungarische Lieder» (Kompositionen der Studenten, für Gesangsstimme und Klavierbegleitung, gesammelt und herausgegeben von Kornél Abranyi, Lehrer für ungarische Musik) herausgegeben. Sicherlich war es die Entschlackung der romantischen Musik im Spätwerk von Liszt mit seiner Besinnung auf die eigene, nationale Musiksprache, die Bartóks Liszt-Verehrung auszeichnete.

Am 7. Januar 1907 übernahm Bartók ganz plötzlich die Klavierklasse von István Thomán. Über den Grund für Thománs so abrupte Aufgabe der Professur klärte mich 1993, anlässlich des internationalen Liszt-Kongresses aus Anlass der 100-Jahrfeier der Liszt-Gesellschaft Budapest, der damalige Präsident der Liszt-Gesellschaft, Béla Bartók jun., auf. Danach sollen Sittlichkeitsdelikte gegenüber der männlichen Schüler-

*Richard Frank (links) 1993 in Budapest im Gespräch mit Béla Bartók jun. über die Beweggründe der Abwahl von István Thomán von der Musikakademie.*

schaft vorgelegen haben, die zur Kündigung der Professur führten. Dies mag erwähnenswert sein, weil Thománs Nachfolger, Bartók, seinerseits zweimal seine eigenen Schülerinnen, beide 16-jährig, heiraten konnte, ohne dabei seine Professur zu riskieren. Vielleicht beneidete Bartók später Thománs frühzeitige Entlassung von der Akademie, da es für Bartók die Befreiung von dem «Joch des pädagogischen Gefängnisses» bedeutet hätte. Wir müssen uns vergegenwärtigen, dass Bartók von 1907 bis 1934, also 26 Jahre lang (im Schuljahr 1919/20 unterrichtete er nicht) wöchentlich 42–46 Stunden Klavier unterrichtete! Erst sein Gesuch um Entsendung an die Ungarische Akademie der Wissenschaft 1934 erlöste ihn von den für heutige mitteleuropäische Verhältnisse undenkbaren akademischen Pflichten.

### Die Bartók-Klavierschülerin Irma Schaichet

Irma Schaichet, damals noch unter ihrem Mädchennamen Irma Löwinger, gehört zu den frühen Schülerinnen und Schülern Bartóks. Wie bei Liszt und Thomán, handelte es sich auch bei der Klasse von Bartók um die anspruchsvolle Konzertausbildungsklasse. Die Akademie hatte inzwischen im repräsentativen, im reinsten Sezessionsstil erbauten Palast am Liszt Ferenc tér Einzug gehalten. Sicherlich wurde Irma Löwinger von Professor Arnold Székely, ebenfalls ein Thomán-Schüler, ideal und sinnvoll auf Bartóks Konzertklasse vorbereitet. Von anderen Bartók-Schülern wie György Sandor, Julia Székely und Ernst Balogh sind einige Informationen über Bartóks Unterrichtswesen niedergeschrieben worden. Demnach spielte auch Bartók das meiste auswendig den Schülern vor. Die Technik muss wohl unter stärkerem Einfluss von Thomán gestanden haben, als der von Liszt, wie fotographische Vergleiche der drei Pianisten zeigen. Von Liszt hatte Bartók aber die Gewohnheit übernommen, nicht über die Technik zu sprechen. «Machen Sie gefälligst Ihre Wäsche zu Hause», pflegte Liszt bei mangelhaftem Spiel zu sagen, und Bartók riet bei technischen Schwierigkeiten einfach das «Üben». Irma Schaichet schätzte den Komponisten Bartók, weniger aber den Pädagogen. Während ihrer Studienzeit bei Bartók entstanden u.a. das «Allegro barbaro», die «Sonatine», «Rumänische Volkstänze» und die «Rumänischen Weihnachtslieder», alles Werke, die Irma Schaichet später als Pianistin regelmässig propagierte.

Irma Schaichet erwähnte einmal, wie Bartók jeweils eine beendete Kompositionsnummer dem Schüler oder der Schülerin vor die Nase setzte und bat, aus dem Manuskript vorzuspielen, um allfällige Schreibfehler zu finden. Berühmt war seine pedantische Korrektheit, ebenso gnadenlos war aber auch das Aufzwingen der eigenen Interpretationsauffassung, und zwar bis ins kleinste Detail. Irma Schaichet erzählte mir, wie auch sie erwählt wurde, die Sonate h-moll von Liszt einzustudieren, um damit, wie ehemals Dohnányi und Bartók, die ehrenvolle Feuer- und Wasserprobe zu begehen. Dieses Werk stand dann auf dem Programm einer Vortragsübung. In der Klavierstunde – einen Tag vor dem Konzert – stellte Bartók aber die ganze Interpretation von Kopf bis Fuss um. Keinen Augenblick dachte Bartók an das Risiko der Schülerin. Trotzdem erspielte sich Irma Schaichet später beim Konzertdiplom das Prädikat «mit Auszeichnung».

### Letzte Station: Von Bartók zu Busoni

Einem Hinweis Bartóks verdankte Irma Schaichet dann aber eine Wende in ihrem Leben, die von grösster Bedeutung werden sollte: Sie ging für ein Studienjahr nach Zürich zu Ferruccio Busoni (1866–1924), den Bartók persönlich kannte.

Ferruccio Busoni war an Bartóks Klavierabend in Berlin von 1903 anwesend. Als Komponist stellte sich Bartók dann 1905 in Baden bei Wien an Busonis Meisterkurs vor. Im darauffolgenden Jahr folgte er der Einladung Busonis, im Konzert des Berliner Philharmonischen Orchesters sein Scherzo aus der zweiten Orchestersuite selber zu dirigieren. In die Jahre von 1911 bis 1918 fällt zudem noch die grosse editorische Arbeit an der Franz Liszt-Gesamtausgabe von Breitkopf & Härtel, an der auch Busoni beteiligt war. Bartók revidierte die sogenannten

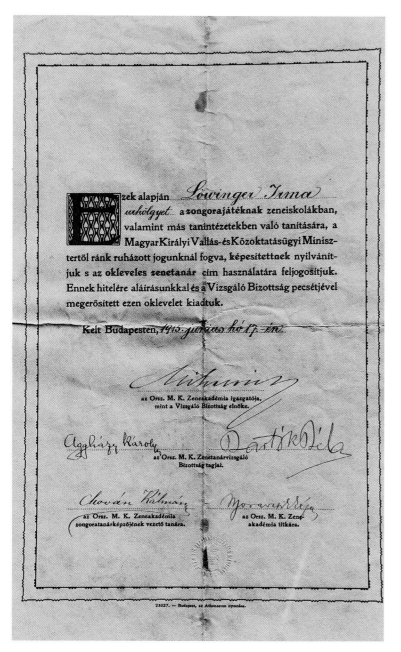

*Das Budapester Konzert-Diplom von Irma Schaichet (damals noch Irma Löwinger), auf dem die Unterschrift ihres Lehrers, Béla Bartók, zu erkennen ist.*

«Ungarischen Werke» Liszt's, so 1911 die «Hungaria» und die «23 Ungarischen Rhapsodien», welche er 1916 zu den «19 Ungarischen Rhapsodien» umarbeitete. Busoni, der Verfasser des «Entwurfs einer neuen Ästhetik der Tonkunst» (Triest 1907, Leipzig 1916), dessen künstlerische Laufbahn so sehr an Franz Liszt erinnert, musste ein Leitbild für den jungen Pädagogen Bartók bedeuten. Nachdem Irma Schaichet die höchstmögliche Ausbildung Ungarns hinter sich hatte, war die Wahl, bei Busoni «die Annäherung an das Ideal» zu suchen, sicher die richtige.

Busonis Entscheid, von 1915 bis 1920 in Zürich zu wirken, erinnert wiederum an die Weimarer Jahre von Franz Liszt. Es war für beide ein von Konzertreisen befreiter Ruhepol, die Sammlung für das eigene kompositorische Werk und die Möglichkeit, frei von institutionellem Zwang das durch Jahrzehnte gesammelte reiche Wissen und Können einer jungen Generation in Form von privatem Klassenunterricht im eigenen Heim weiterzugeben. Für Bartók wie für Busoni war die gemeinsame Triebfeder ihrer Kunst der Aspekt der Lösung vom romantischen Schwulst, jener Weg, den Liszt vorgezeigt hatte.

Irma Schaichet hatte zwar mit dem Komponisten Busoni, der aus dem Intellekt schuf, Schwierigkeiten, sie schätzte aber um so mehr den Pianisten und Pädagogen. Es war das internationale und hohe Niveau der Schüler an der Scheuchzerstrasse 36 in Zürich, wo Busoni lebte und unterrichtete, das sie beeindruckte. Der internationale Meisterkurs von Géza Anda erinnerte sie immer wieder an ihre Klassenstunden bei Busoni. Der Teilnehmer lernt ja gerade soviel vom Zuhören und Zusehen. Von dieser Warte aus muss man Busonis ersten Eindruck von Irma Schaichets Spiel werten, wenn er sagte: «Und so jemand hat schon zwei Diplome in der Tasche.»

Busoni nahm in Zürich aktiv am Konzertleben teil. Dank dem Patronat von Volkmar Andreae, der durch seine Position als Konservatoriumsdirektor und Chefdirigent das Zürcher

*Historische Aufnahme des Hauses Scheuchzerstrasse 36, wo Ferruccio Busoni wohnte und wo ihn auch Elias Canetti häufig traf.*

Musikleben beherrschte, konnte Busoni geradezu erzieherisch wirken. Zeugen davon sind die «historischen Klavierzyklen» und die Programmgestaltung der Orchesterkonzerte. Zudem ermöglichte es die Verehrung von Andreae für den Komponisten Busoni auch, dass dessen in Zürich entstandenen Orchesterwerke in der Tonhalle in Proben durchgespielt wurden, um die Wirkung zu hören. Meist hat Busoni nach einer solchen Aufführung sein Werk nochmals ausgebessert. Bezüglich der in diesen Jahren währenden Mozartrenaissance sei noch erwähnt, dass neben Richard Strauss und Busoni auch Bartók seinen Beitrag leistete. Noch heute ist die Bartókausgabe sämtlicher Klaviersonaten von Mozart erhältlich und wird im ungarischen Klavierunterricht angewandt. Busoni selber hatte damals in Zürich die Mozart-Konzerte KV 466, 482, 488 und 491 im Repertoire. Irma Schaichet erinnerte sich an deren Auf-

◀ *Erinnerungsplakette für Ferruccio Busoni am Haus Scheuchzerstrasse 36, wo auch Irma Schaichet unterrichtet wurde.*

*Irma Schaichet mit ihren Schülern Jaroslav Netter und Salvatore Antonaci anlässlich* ▶
*eines Konzertes in der Aula der Universität Zürich.*

führungen durch Busoni ganz genau, erzählte sie mir doch einmal: «Nie wieder habe ich solch sensible Klänge gehört.»

Liszt-Thomán-Bartók-Busoni: dieses Erbe war Bestandteil der Persönlichkeit und des Stils von Irma Schaichet. Zusammenfassend kristallisiert sich dieses Erbe vor allem in Irma Schaichets intensiver Musikbegeisterung, die bis ins hohe Alter ungeschwächt vorhanden war. Musik war ihr Lebenselixier. Musikbetätigung, sei es die Interpretation oder der Unterricht, war nicht einfach Zeitvertreib oder blosses Handwerk, sondern eine verantwortungsbewusste Mission. «Erhabenheit» und «Offenbarung» waren oft zitierte Hinweise während des Unterrichts. Das Göttliche in der Kunst sollte dem Schüler näher gebracht werden, um darin das «Wesentliche», die wahre Aufgabe der Kunst und somit ihre Lebensberechtigung zu erklären. Vom Schüler wurde dieses seelische Engagement verlangt. Diese Kunstauffassung stand über jedem Nationalitäts- und Religionsgefühl. Jedermann war eingeladen, der Kunst zu dienen und sich ihrer wahren Gaben zu erfreuen. Standen dabei finanzielle Schwierigkeiten im Wege, konnte man mit Irma Schaichets tatkräftiger Unterstützung rechnen. Ihre Charakterstärke erweckte Respekt, der sie vor Unredlichkeiten anderer schützte. Darin sehe ich das Schwergewicht des stillen Einflusses von Liszt über Thomán, Bartók und Busoni.

Es gab natürlich noch andere Einflüsse, wie der von Edwin Fischer. Aber bei Irma Schaichet zeigt sich hiermit exemplarisch die Bedeutung der Tradition: tausend Fäden verbinden uns und machen uns verwandt und zum Bestandteil der grossen europäischen Musikkultur des 19. Jahrhunderts. Dies schätzen zu lernen und weiter zu pflegen, so, wie es Irma Schaichet und die vier anderen erwähnten Musiker taten, möge auch unsere Pflicht, frei von aller Befangenheit, sein.

# III. STIMMEN ZUM MUSIKEREHEPAAR SCHAICHET

# Meine Kriegsjahre in Zürich

*ein Gespräch mit Georg Solti*

*Der am 21. Oktober 1912 in Budapest geborene Musiker und Dirigent Georg Solti, der bei Ernst von Dohnányi und Zoltán Kodály studierte, kam 1939 nach Luzern, um Arturo Toscanini zu treffen. Doch kurze Zeit später brach der Zweite Weltkrieg aus und der 27jährige Solti sass in der Schweiz fest. Später erhielt er von der Schweizer Fremdenpolizei den Bescheid, dass man ihn nach Ungarn zurückschicken wolle, doch Deutschland erteilte zu diesem Zeitpunkt für Juden keine Durchreise-visa mehr und der Weg über Italien war ebenfalls blockiert. So verbrachte Georg Solti den Krieg in der Schweiz, bis er kurz nach Kriegsende zum Generalmusikdirektor nach München berufen wurde. Weitere wichtige Stationen seiner Karriere waren Covent Garden London und das Chicago Symphony Orchestra.*

Ich kam am 15. August 1939 nach Luzern, um Arturo Toscanini zu treffen, dem ich zwei Jahre vorher in Salzburg assistiert hatte. Ich erhoffte mir ein Empfehlungsschreiben Toscaninis für Amerika, wohin ich vor dem drohenden Krieg zu fliehen ge-dachte. Kurze Zeit später brach jedoch der Weltkrieg aus und ich sass in der Schweiz fest, da ich noch kein Visum für Amerika besass. So reiste ich nach Zürich zum Tenor Max Hirzel, den ich von Budapest her kannte und der mich gastfreundlich bei sich aufnahm. Kurz nach Ausbruch des Krieges, zu Beginn des Jahres 1940, habe ich dann auch Irma Schaichet kennengelernt. Damals gab es zwischen 30 und 40 ungarische Studentinnen und Studenten an der Eidgenössischen Technischen Hoch-schule, von denen mich einer mit Irma Schaichet bekannt machte. Daraus entstand eine Freundschaft bis zum Ende ihres Lebens. An die Persönlichkeit von Irma Schaichet kann ich mich sehr gut erinnern. Sie war wohl die lebhafteste ungarische Person, die man sich vorstellen kann, voll Temperament und Freundlichkeit, und sie besass ein unglaublich freundliches Wesen. Sie hat auch viel und gerne gelacht und war voll

Lebenslust. Auch nach meinem Weggang von Zürich haben wir miteinander korrespondiert oder telephoniert, und immer wenn ich in Zürich war, habe ich sie besucht.

Sie war immer sehr hilfreich. So hat sie für mich in Zürich eine Wohnung gesucht, als ich von Max Hirzel wegging. Dies gilt übrigens auch für Alexander Schaichet, den ich ebenfalls sehr gut kannte. Er war ein lieber, reizender Mensch, so ein richtiger russischer Musiker mit einem grossen Herzen. Und so hatten die Schaichets ein sehr gastfreundliches Haus für junge Menschen, vor allem für junge Emigranten – sehr oft Juden und auch Ungarn –, denen sie geholfen haben. Da sie eingebürgert waren, war für sie das Leben in der Schweiz nicht so schwierig – sie waren auch sehr gerne in diesem Land und überzeugte Schweizer. Ich kann mich auch gut an ihre Kinder erinnern, es waren drei, zwei Mädchen und ein junger Mann.

Ich bin Irma Schaichet sehr dankbar, weil sie mich in meinem Leben in der Schweiz unterstützt hat, was mir den dortigen Aufenthalt erleichterte, denn es waren, man muss das nicht beschönigen, ausserordentlich schwierige und für mich gefährliche Zeiten. So habe ich etwa nie für länger als für sechs Monate eine Aufenthaltsbewilligung erhalten. Und irgendwie musste ich ja auch meinen Lebensunterhalt in der Schweiz bestreiten, besass aber vorerst keine Arbeitserlaubnis. Erst nach dem Gewinn des ersten Preises beim «Concours international d'execution musicale» von Genf 1942 durfte ich in der Schweiz Geld verdienen: ich erhielt die Erlaubnis, sage und schreibe fünf Schüler zu unterrichten. Daneben begann ich auch zu konzertieren, gab Klavierabende in Solothurn, Winterthur, Lugano und – zusammen mit Irma Schaichet – auch in Zürich. Dort führten wir die «Sonate für zwei Klaviere und Schlagzeug» von Béla Bartók auf, ich sass am ersten, Irma am zweiten Flügel. Wir waren ja beide mit Bartók vertraut, da wir an der Musikakademie Budapest von ihm unterrichtet worden waren. Irma Schaichet war allerdings viel länger bei Bartók, ich absolvierte nur einen sechswöchigen Kurs.

Irma Schaichet hat in Zürich auch sehr viele Schüler unterrichtet und war sehr erfolgreich in dieser Arbeit. Sicherlich war sie eine gute Pädagogin. Von ihren zahlreichen Schülern habe

ich die Familie Bär kennengelernt, mit denen ich bis heute eng befreundet bin. Auch Alexander Schaichet unterrichtete, und zwar Geige. Daneben war er Dirigent des Zürcher Kammerorchesters, mit dem er Musik von Schweizer Komponisten aufführte. Zwei von ihnen, Walter Lang und Emil Frey, habe ich bei den Schaichets kennengelernt und oft getroffen. Überhaupt war der Hadlaubsteig, wo ich oft zu Besuch war, ein gastfreundliches Haus. Das Ehepaar Schaichet gehört zu den reizendsten, hilfsbereitesten Personen, die ich je kennengelernt habe.

*(vn)*

# Engagierte Förderung eines Wunderkindes

*ein Gespräch mit Annie Fischer*

*Die ungarische Pianistin Annie Fischer wurde von Ernst von Dohnányi und Arnold Székely, der auch Lehrer von Irma Schaichet war, in Budapest ausgebildet und galt als Wunderkind. Während des Zweiten Weltkrieges emigrierte die Pianistin nach Schweden, lebt aber seit 1946 wieder in Budapest. Annie Fischer ist besonders als Liszt- und Schumann-Interpretin international bekannt und geschätzt.*

Meine Freundschaft mit Irma Schaichet begann sehr früh und dauerte trotz langer Pausen ein Leben lang. Irma Schaichet war eine jung verheiratete Frau, als sie mit ihrem Mann, dem Dirigenten Alexander Schaichet, einen Besuch in Budapest machte, um ihn mit ihrer geliebten Musikakademie und ihren Professoren bekannt zu machen. Nach dem Besuch gingen die beiden an dem grossen Auditorium der Akademie vorbei, hörten Klänge aus dem Saal und wurden aufmerksam. Sie wollten hinein, waren aber schon verspätet für ihr nächstes Rendezvous. Die paar Takte, die sie durch die Türe gehört hatten, mussten sie aber offensichtlich beeindruckt haben, denn Irma Schaichet schrieb nach ihrer Rückkehr in die Schweiz an ihren Professor Arnold Székely, er möge so lieb sein und ausfindig machen, wer damals im Saal Klavier gespielt habe. Es stellte sich dann heraus, dass es Annie Fischer, also ich, war. Ich war damals 11jährig. Kurz nach dieser Nachricht Székelys lud mich Alexander Schaichet, der damals Dirigent des Zürcher Kammerorchesters war, nach Zürich ein. Da ich aber noch zu jung war, um alleine zu reisen, begleitete mich meine Mutter. Irma Schaichet arrangierte alles für unseren Aufenthalt, und so wohnten wir bei der Familie Reiff, wo ich Walter Gieseking und Eduard Erdmann traf. Ich war noch zu jung, um zu realisieren, um was für grosse Künstler es sich hier handelte. Und als mich Irma Schaichet dann in den kleinen Tonhallesaal zu ihrem Konzert mitnahm – sie spielte zusammen mit Alexander

Schaichet ein Rezital für Klavierduett – machte ich mich sogar lustig darüber, wie sie während ihrem Spiel schwitzten. Irma und Alexander verwöhnten mich in jeder Hinsicht. Ich erinnere mich, wie ich jedesmal von Zürich mit einer Puppe nach Hause zurückkehrte – erst kürzlich ist mir eine davon wieder in die Hände gekommen. Man kann schon sagen, dass meine Karriere, die damals kaum begonnen hatte, durch Irma und Alexander Schaichet gefördert wurde. An meinem Zürcher Debut mit dem Kammerorchester Zürich spielte ich das frühe Mozart-Klavierkonzert KV 175. Das zweite Mal spielte ich das Schumann-Konzert, ich war damals 13jährig. Irma Schaichet übte damals gerade das Tschaikowsky-Konzert am Hadlaubsteig ein, das einen mächtigen Eindruck auf mich machte.

Die Schaichets kannten einen grossen Kreis von Musikmäzenen, und sie stellten mich überall vor. Ich kann mich auch erinnern, dass mir Frau Dr. Karr, als ich bei ihnen wohnte, einen wunderschönen Seidenstoff auf mein Bett legte. Daraus wurde dann mein erstes Abendkleid. Aus dieser ersten mütterlichen Zuneigung von Irma Schaichet entwickelte sich später eine gegenseitige und ebenbürtige Freundschaft. Seit meinem achtzehnten Lebensjahr war sie für mich nicht mehr «Tante Irma», sondern eine Freundin, mit der ich oft vierhändig Klavier spielte. Auch begleitete sie mich immer auf dem kleinen Pianino beim Einstudieren meines jeweiligen Konzertrepertoires, und ich wäre glücklich gewesen, wenn die Orchester so gespielt hätten wie sie. Ich hatte damals schon Einladungen von Walter Schulthess von der Konzertgesellschaft, der noch den typischen Impresario der alten Schule verkörperte. Bei meinen Zürcher Konzerten verbrachte ich regelmässig viele gemeinsame Stunden mit Irma Schaichet.

Die erste lange Pause in unserer Freundschaft brachte der Krieg. Als ich nach vielen Jahren wieder in Westeuropa Konzerte geben konnte und in der Schweiz war, setzten Irma und ich unsere Freundschaft fort. Es fiel mir dabei auf, wie wir uns altersmässig näher gekommen waren, denn sie war die jung Gebliebene, während ich die älter Gewordene war. Ich liebte und bewunderte ihr strahlendes, jugendliches, für alles Schöne und Musikalische offene Wesen. Im kleinen Salon von Irma

und Alexander Schaichet am Hadlaubsteig traf sich dann auch regelmässig die ungarische Pianistengarde. Mit Karl Engel, Andor Foldes, Géza Anda und mir wurde gemeinsam musiziert.

Irma besuchte mich später auch oft in Budapest. Diese innige Freundschaft zwischen uns hat sich mit der Zeit noch vertieft. Wir haben oft stundenlang bis spät in die Nacht telefoniert. Mit dem Alter hat sich bei Irma Schaichet nichts geändert. Sie war beinahe 90 Jahre alt, als sie zu meinem Rezital in der Budapester Musikakademie anreiste. Sie wohnte auch in meinem Gäste-appartement. Als sie dann 90 Jahre alt wurde, feierte sie die musikalische Welt von der Schweiz und vom Ausland im Stadthaus Zürich. Ich werde nie vergessen, wie Irma mit geradem Rücken in ihrem aquafarbigen Chiffon-Kleid geradezu hereinschwebte und vor einem zu Tränen gerührten Publikum Bach-Busoni spielte. Sie war eine aussergewöhnliche Persönlichkeit, geliebt und bewundert von Arthur Rubinstein, Rudolf Serkin und vielen anderen unserer grössten Künstler.

*(rf)*

Kammerorchester Zürich
Leitung: ALEXANDER SCHAICHET

TONHALLE, GROSSER SAAL

Mittwoch,
den 18. September
abends 8 Uhr

EXTRA-KONZERT
der 13 jährigen Pianistin
ANNIE FISCHER
aus Budapest

PROGRAMM

C. M. v. WEBER:
Konzertstück f-moll, op. 79,
für Klavier mit Orchester

L. v. BEETHOVEN:
Konzert c-moll, op. 37,
für Klavier mit Orchester
a) Allegro con brio  b) Largo  c) Rondo

FR. SCHUBERT:
Zwischenakts- und Balletmusik aus
„Rosamunde", für Orchester
a) Andantino,  b) Andantino (con moto)

FRANZ LISZT:
Fantasie über Ungarische
Volksmelodien
für Klavier und grosses Orchester

BECHSTEIN-
KONZERTFLÜGEL
vom Hause Hug & Co.

# Aspekte eines ungewöhnlichen Musikpädagogen

*von Peter Wettstein*

*Der Dirigent und Komponist Peter Wettstein wurde am 15. September 1939 in Zürich geboren und begann seine Ausbildung bei Alexander Schaichet an der Musikakademie in Zürich. Wettstein ist heute Lehrer für theoretische Fächer und Orchesterleitung an der Musikakademie und Musikhochschule Zürich, deren Berufsabteilung er seit 1976 leitet. Sein kompositorisches Schaffen reicht von Solowerken bis zum Musiktheater.*

Noch lange nach meiner Studienzeit stand das Foto von Alexander Schaichet auf meinem Arbeitstisch. Wie kein anderer Lehrer hat seine künstlerisch-humanistische Ausstrahlung den damaligen Mitschüler geprägt. Als ich 1956 nach einem Vorspiel in die Klasse von Alexander Schaichet aufgenommen wurde, verbrachte ich wohl mehr Zeit mit Notenschreiben, Dirigieren und Konzerte organisieren als mit Üben, und es brauchte das ehrgeizerweckende, aufrichtige Interesse des neuen Lehrers an meinem jungen Künstlerleben, damit ich meine Abneigung dem Üben gegenüber zu überwinden vermochte. Schliesslich wollte ich ihn beeindrucken, strebte seine Anerkennung an und bemühte mich auch, im Kreise seiner Schüler zu bestehen.

Alexander Schaichets Sympathie galt dem ganzen Menschen. Er nahm Einblick in meine Kompositionsversuche, besuchte bei Proben und Konzerte meines Orchesters und vermochte mir auch auf diesen Gebieten wichtige Hinweise und Hilfen zu geben. Anregungen standen bei ihm immer im Vordergrund der pädagogischen Tätigkeit, die konkrete Problemlösung überliess er dann dem Ratsuchenden. Selbständigkeit und Eigenverantwortung förderte er, indem er keine Rezepte verteilte. Nie habe ich Alexander Schaichet als Geiger oder Bratscher gehört und gesehen. Längst hatte er seine Konzerttätigkeit beendet und war auch nicht bereit, im Unterricht auf dem Instrument etwas vorzuzeigen. Im obersten Zimmer des schma-

len Reiheneinfamilienhauses am Hadlaubsteig sass er auf seinem hohen Drehsessel am Fenster und beobachtete mit Ohren und Augen die Bemühungen seiner «Kinder», wie er uns zärtlich nannte: Selbstanalyse war gefordert, und erst danach folgte seine Kritik, Lob, Tadel in der trefflichen Mischung, wie sie faszinierenden Pädagogen zur Verfügung steht. Die Musik, nicht die Geige stand im Zentrum des Unterrichts, und auch technische Probleme wurden auf Grund der musikalischen Erkenntnisse bewusst gemacht und angegangen.

Höhepunkte waren die halbjährigen Vortragsübungen. Eine Woche vor dem grossen Moment wurde die Unterrichtsstunde ins grosse Parterrezimmer verlegt, wo Irma Schaichet sonst ihren Schülerkreis empfing. Das Zusammenspiel mit dieser feinfühligen Pianistin war für mich immer ein grosses Erlebnis. Es wäre ja so bequem gewesen, sich durch ihr grosses kammermusikalisches Wissen und Spüren führen und tragen zu lassen. Aber auch hier war Eigeninitiative und Eigenwille gewünscht und gefordert. Die Musikakademie besass keinen eigenen Konzertraum. Der grosse Saal des Kirchgemeindehauses Hirschengraben mit seiner akustisch günstigen Holzkastenbühne wurde zu unserem Podium, und es war jedesmal ein Fest, wenn Alexander Schaichet mit einigen wohlgesetzten Worten in seine immer wieder interessanten, thematisch konzipierten Programme einführte. Wir konnten diese Eröffnung allerdings nicht hören, weil wir in verschiedenen Zimmern mittels Einspielübungen unser Lampenfieber zu bekämpfen suchten. Ein fast immer zahlreiches und begeisterungsfähiges Publikum sorgte für das stimulierende Ambiente für unsere Auftritte, bei denen wir unsere ersten Höhen- und Tiefenflüge als Solisten und Kammermusiker erlebten, die hohe Lust musikalischen Gelingens, aber auch die Frustration durch Versagen.

Kammermusik ist ein zentrales Stichwort zum Leben und zur Arbeit von Alexander Schaichet. Nachdem ich als vierter Geiger im Mendelssohn-Oktett meine Ensemblekarriere begonnen hatte, wurde ich 1958, nach meiner Maturität, ins neue «Baby-Quartett» eingeteilt. Ich studierte nun an der Musikakademie und am musikwissenschaftlichen Seminar der Universität. Neben den vielen Theoriestunden und dem von mir immer noch wenig geschätzten, beschwerlichen Üben war das Streichquartettspiel etwas vom auf- und anregendsten in meinem Leben, denn unser Mentor eröffnete uns eine neue, herrliche Musikwelt. Stolz war ich, als ich dann als ersten eigenen Schüler den Enkel meines verehrten Vorbildes, Jürg, im Rahmen meiner violinpädagogischen Ausbildung unterrichten durfte.

Mein vorläufiger Abschied von Zürich und damit von Alexander Schaichet erfolgte nach meinem Lehrdiplom 1961. Meinem geigerischen Können wären zwei weitere Jahre Aufbaustudium zwar durchaus zuträglich gewesen, aber mein Streben in die Ferne stiess auf Verständnis. Es zog mich nach Detmold, wo ich Komposition, Dirigieren und Tonmeisterei studierte. Beim Musizieren als Geiger und Dirigent profitierte ich immer wieder von den Erkenntnissen und Erfahrungen, die mir mein Zürcher Meister vermittelt hatte.

Zum letzten mal trafen wir uns im Januar 1963. Ich durfte ein kommentiertes Jugendsinfoniekonzert in der Tonhalle dirigieren, und mein alter Lehrer liess es sich nicht nehmen, in der Orchesterprobe zu erscheinen und nachher mit mir meine Dispositionen zu diskutieren. Mehr als 30 Jahre sind seither vergangen. Ich bin seit langem selber an Schaichets ehemaliger Schule tätig. Sie ist inzwischen mit Konservatorium und Musikhochschule zusammengewachsen, aber in der Prominentengalerie der alten Musikakademie und in den Erinnerungen des grossen Schülerkreises wird Alexander Schaichet seinen Ehrenplatz behalten.

# Eine enthusiastische Begleiterin

*von Edith Peinemann*

*In Mainz geboren und aus alter Musiktradition stammend, war die Geigerin Edith Peinemann mit 19 Jahren die jüngste Preisträgerin des ARD Wettbewerbs München. Seither konzertiert sie mit den grossen Orchestern wie den Berliner Philharmonikern, den Wiener Symphonikern, dem Royal Philharmonic Orchestra, dem BBC Orchestra London u.a. unter Dirigenten wie Solti, Kempe, Boulez, Gielen, Karajan, Kubelik, Sawallisch u.a. Die mit der «Plaquette Eugène Ysaÿe 1858–1958» ausgezeichnete Geigerin wurde 1976 als Professorin an die Musikhochschule Frankfurt berufen. Ihren Wohnsitz aber hat sie in Zürich.*

### Liebste Irma,

wir haben uns erst spät kennen gelernt, es war wohl Ende der siebziger Jahre. Ich traf Dich ab und zu bei gemeinsamen Freunden und in Konzerten. Gemeinsam musiziert haben wir anlässlich eines Festes bei Ellen Weyl, bei welchem wir zusammen mit Simon Goldberg Bachs Doppelkonzert spielten. Dein richtig orchestrales Klavierspiel gab uns beiden Geigern ein wunderbares Fundament und Dein jugendlicher Elan beeindruckte mich tief. Wirklich angefreundet haben wir uns jedoch in den frühen achtziger Jahren, da kamen wir uns richtig nah. Du nahmst grossen Anteil an meinem Geigenspiel, hattest ja auch Dein Leben in engstem Kontakt mit diesem Instrument verbracht, besuchtest treuestens meine Konzerte und schriebst mir nach jedem tieffühlende Zeilen.

Du scheutest nicht die Reise von Deinem Ferienort zu den Engadiner Konzerten, um Dir Bachs Solo-Werke von mir anzuhören, und natürlich kamst Du zu den Violinkonzerten von Brahms und sogar zu Khachaturian hier in Zürich. Ich glaube kaum, dass ich jemals einen verständnisvolleren, mitfühlende-

ren Zuhörer gehabt habe, und es war immer beflügelnd, in Deiner Anwesenheit zu musizieren. Du wirst sicher für viele Menschen – für mich in hohem Masse – Vorbild bleiben, in einer Art von Zeitlosigkeit – Alterslosigkeit – die guten und schönen Dinge stets neu zu erleben und Schwierigkeiten ohne Klage zu überwinden.

Selbst ernste Krankheit konnte Dich nicht lange darniederhalten. Geistig bliebst Du ungebrochen, und an dieser Stelle möchte ich Dich selber sprechen lassen: «Liebste Edith – dass Du an mich gedacht hast, trifft mein im Augenblick 'havariertes' Herz zutiefst. Denn ich liege seit Wochen mit einem Herzinfarkt…Es geht langsam besser, Gottlob, und heute durfte ich zum ersten mal die Treppen hinunter und zu meinem Klavier. Welches Fest!»

Ich wünsche mir oft, Du wärest noch bei uns, und wir könnten unsere Liebe und unseren Enthusiasmus für die Werke der grossen Komponisten und Interpreten teilen. Ganz ohne Eitelkeit und nur in Bewunderung der grossartigen und ergreifenden Schöpfungen, die Dein und mein Leben geprägt haben. In meinen Konzerten bist Du mir immer präsent, auch wenn wir Dich dabei nicht erblicken und Deine so spontan enthusiastischen Brieflein nun ausbleiben.

# lavierlehrerin einer musischen Familien-Dynastie

*ein Gespräch mit Hans J. Bär*

*Hans J. Bär ist einer der Enkel von Julius Bär, der in Zürich die renommierte, an der Bahnhofstrasse domizilierte «Bank Julius Bär» gegründet hat. Hans J. Bär, der sich in Amerika zum Ingenieur ausbildete, ist heute selber in der Bank tätig. Einer breiten Öffentlichkeit wurde er als Präsident der Tonhalle-Gesellschaft bekannt, der er von 1982 bis 1993 vorstand.*

Irma und Alexander Schaichet haben mir und meiner ganzen Familie das Verständnis und die Liebe zur Musik vermittelt. Kennengelernt haben wir das Ehepaar Schaichet über meine musikinteressierte Mutter Ellen Weyl, die schon sehr früh im Kammerorchester Zürich unter der Leitung von Alexander Schaichet mitgespielt hat. Da in diesem neu aufgebauten Klangkörper noch Bratschenspielerinnen fehlten, hat sich Ellen Weyl bereit erklärt, in dieser Stimmgruppe zu spielen. Sie ging dann zu Alexander Schaichet in die Musikstunden an den Hadlaubsteig, und so entwickelte sich langsam die Beziehung zu unserer Familie, die zu einer engen Familienfreundschaft wurde.

Mein Onkel Walter Bär, der das Wirken des Ehepaares immer wieder mäzenatisch unterstützte, spielte in der Freizeit leidenschaftlich gerne Klavier und nahm – wohl vermittelt durch Ellen Weyl und Alexander Schaichet – bei Irma Schaichet viele Jahre lang Klavierstunden. Und so haben wir Irma Schaichet kennengelernt, die später auch fast alle Kinder der drei Brüder Walter, Richard und Werner Bär unterrichtete. Zu meinen Cousins Nicolas, Roger, Alfred und Ulrich – den Söhnen Walter Bärs – wurde Irma Schaichet einmal pro Woche mit dem Auto ins elterliche Heim an der Bergstrasse chauffiert, um ihnen dort Klavierunterricht zu erteilen. Ich selber fuhr ein- bis

*Walter Bär und Irma Schaichet anlässlich eines Hauskonzertes an der Bergstrasse 54 in Zürich.*

zweimal in der Woche, genau wie meine Schwestern Marianne Olsen-Bär und Ruth Speiser-Bär, an den Hadlaubsteig zum Unterricht. Vor diesen Tagen fürchtete ich mich immer etwas, denn Irma Schaichet war eine sehr strenge Lehrerin und ich war nicht gerade ein fleissig übender Schüler... Trotzdem hatte ich Freude an der Musik, was auch mit meiner musikliebenden Mutter zusammenhing. Dies gilt übrigens auch für meine Schwester Ruth Speiser-Bär, die später in Yale (USA) das Musikdiplom erwarb. Meine andere Schwester Marianne Olsen-Bär war zwar auch musisch begabt, fühlte sich aber mehr zur bildenden Kunst hingezogen und verschrieb sich daher später ganz der bildhauerischen Tätigkeit. Es existiert eine schöne Plastik von Alexander Schaichet, die meine Schwester gestaltet hat.

Die Kinder von Werner und Nelly Bär-Theilheimer, Peter, Rudolf, Sonja und Béatrice Bär, besuchten ebenfalls Musikstunden bei Irma und bei Alexander Schaichet. Unter diesen Verwandten wandte sich Béatrice Bär dann der bildenden Kunst zu, blieb aber der Musik eng verbunden, heiratete sie doch den Pianisten Peter Aronsky.

Irma Schaichet hat mich aber nicht nur auf praktischem Weg durch die Klavierstunden mit der Musik vertraut gemacht, sondern sie, die einen riesigen Künstlerfreundeskreis kannte, hat

uns mit wichtigen Musikern bekannt gemacht. So lernten wir dank Irma Schaichet etwa Géza Anda und Georg Solti kennen. Andererseits machte meine Mutter Ellen Weyl die Schaichets mit dem Geiger Simon Goldberg bekannt, der damals Konzertmeister bei den Berliner Philharmonikern war und später oft mit Alexander und Irma Schaichet konzertierte. 1940 wanderte unsere Familie für 10 Jahre nach Amerika aus, wo ich dann auch Künstler wie Rudolf Serkin oder die Familie Busch kennenlernte. Die Zeit in Amerika war für mich sehr wichtig, denn ich schloss dort mein Ingenieur-Studium ab und dort wechselte ich auch das Instrument. Ich begann Cello zu spielen und wirkte in akademischen Orchestern mit. Es war dann wiederum Irma Schaichet, die mir als meine Klavierlehrerin einen Cello-Lehrer vermittelte: den angesehenen Solo-Cellisten des Tonhalle-Orchesters, Frédéric Mottier, der auch mit Irma Schaichet konzertierte. Dies war eigentlich meine erste nähere Beziehung zur Tonhalle-Gesellschaft, der ich später – von Irma Schaichet musikalisch sozusagen umfassend gerüstet – als Präsident vorstand.

*(vn)*

*Ein Gespräch mit Ruth Speiser-Bär*

*Ruth Speiser-Bär ist ebenfalls eine Enkelin von Julius Bär und die Schwester von Hans J. Bär. Nach Klavierstunden bei Irma Schaichet erwarb sie in Yale (USA) den Grad eines Bachelor of Music. Sie lebt heute in Arlesheim.*

Irma Schaichet war eine sehr dynamische Frau und eine grosse Persönlichkeit. Ihr Enthusiasmus und ihr nie erlahmender Optimismus sind für mich nicht nur unvergesslich, sondern auch grosses Vorbild. Sie hat sich stets enorm für die Jugend interessiert, was sich auch in ihrem umfassenden Unterricht zeigte, der nicht nur aus «Noten» bestand. Sie hat auch den menschlichen Kontakt mit ihren Schülerinnen und Schülern gepflegt und deren Sorgen geteilt. Ihr zentrales pädgogisches Anliegen war das Vermitteln der Begeisterung für die Musik. Sie verehrte den grossen Pianisten Edwin Fischer sehr. Seine

grosszügige Linienführung, seine Art, Tempi zu modifizieren, wie auch seine feinen agogischen Freiheiten entsprachen restlos den musikalischen Ideen Irma Schaichets.

Ich besuchte neben meinen Klavierstunden bei Irma Schaichet auch Vorlesungen an der Universität Zürich für Hörer aller Fakultäten, die der damals in Zürich als Professor wirkende Komponist Paul Hindemith hielt. In diesen Kursen lernte ich auch Schüler Hindemiths kennen, die mich ermutigten, in Yale (USA) zu studieren, wo ja auch Hindemith wirkte. Und so habe ich dort bei Bruce Simonds den Grad des Bachelor of Music erworben. Auch nach meiner Rückkehr in die Schweiz habe ich weiter Klavier gespielt und besuchte an der Musikakademie die Klasse für Kammermusik von Alexander Schaichet. Zusammen mit Marlies Metzler (Erste Geige), Marianne Barandun (Zweite Geige), Rudi Constam (Cello) – dem Sohn des grossen Diabetes-Arztes Georg R. Constam – und einem Bratscher haben wir oft Quintett gespielt und haben auch öffentlich konzertiert. Ich erinnere mich gerne und gut daran, wie wir in Davos und in Samedan die wunderschönen Quintette von Schumann und Dvořák gespielt haben. Meinen Klavierpart hatte ich vorher mit Irma Schaichet eingeübt, und in der Kammermusikklasse von Alexander Schaichet wurde dann das Zusammenspielen und die Interpretation optimiert. Es war eine wunderbare Zeit.

*(vn)*

# Laudatio auf die Liszt'sche Klaviertradition

*von Rudolf am Bach*

*Der Pianist Rudolf am Bach wurde am 6. Juni 1919 in Trogen geboren. Er entstammt der Musikerfamilie Aeschbacher und änderte 1941 seinen Namen, um Verwechslungen mit seinen Brüdern Adrian und Niklaus zu vermeiden. Nach Studien bei Emil Frey und Frédéric Lamond konzertierte am Bach in ganz Europa als Interpret virtuoser Klaviermusik. Er erwarb sich besondere Verdienste durch den Einsatz für neue Schweizer Musik.*

Da ich im Frühjahr 1939 am Konservatorium Zürich das Konzertdiplom bei Professor Emil Frey mit dem Prädikat 'Summa cum laude' absolviert hatte, wollte ich noch eine Vervollkommnung im Anschlag und in der Gesamtinterpretation bei dem Lisztschüler Prof. Dr. Frédéric Lamond erreichen. Dieser hatte im Laufe des Winters 1938/39 eben in Zürich einen Beethoven-Abend gespielt. Da die technische Ausbildung bei Professor Emil Frey eine vorzügliche war, erteilte mir Professor Lamond von Mitte April bis Ende Juni in London jeden zweiten Tag Unterricht (ohne Honorar!) und besprach mit mir sehr intensiv Interpretationsprobleme, Ausdruck und Anschlag anhand folgender Werke: Beethoven: «Mondscheinsonate», Sturmsonate op.31 Nr.2 d-moll; Brahms: Händel-Variationen op.24 und Mendelssohn: Capriccio op.5 fis-moll. Letzteres wählte er vor allem wegen des leichten, schwebenden Staccatos und wegen dem Herausarbeiten der Themeneinsätze ins Fugato und wegen der Gesamtsteigerung am Schluss. Beim Adagio der «Mondscheinsonate» verlangte Lamond für die Oberstimme als Gesangspartie einen nachdrücklicheren Anschlag als bei der begleitenden Triolenfigur, auch sollte die erste Note der letzteren

◄ *Irma Schaichet umringt von ihren Klavierschülern Ulrich, Nicolas, Alfred, Vater Walter und Roger Bär.*

Triolenfigur nie den Eindruck einer Verdoppelung der Melodie in der unteren Oktave geben. Als bildliche Vorstellung gab der Meister stets treffliche Sujets an, in diesem Fall einen ruhig dahinfliessenden Strom in der Mondnacht, eine Harfe begleitet mit leisen Triolen den Gesang. Für den Mittelsatz gilt ein mässiges Menuett-Tempo, nach Liszt sei das eine Blume zwischen

zwei Abgründen, so Lamond. Im Presto sollten die Läufe der Rechten geisterhaft leise, dafür das abschliessende Sforzato auf dem Akkord kräftig sein. Der letzte Presto-Satz sollte den ganzen Sturm der in den vorhergehenden Sätzen noch beherrschten Leidenschaft entfesseln. An Lisztwerken studierte ich bei Lamond hauptsächlich die Etudes d'exécution transcendante und zwar die Nummern 1, 2, 4, 5, 6, 10 und 11. Bei «Feux follets» und «Mazeppa» verweilte Lamond sehr lange. Um das Stampfen der Pferdehufe deutlich zum Ausdruck zu bringen, empfahl er mir den von Liszt angegebenen Fingersatz $^2/_4 - ^2/_4$, womit ein martellato-Anschlag erzielt wird. Doch wünschte Lamond für den B-dur Mittelteil einen weichen Anschlag in der linken Hand. Auch machte er mir den Daumenanschlag mit einem wunderbar weichen piano-dolce vor; diese Stellen klangen dann wie gesungen! Zeitweise sprach Lamond von einer gewissen Stelle aus der h-moll Sonate von Liszt. Liszt soll das b-moll Fugenthema am Anfang ausschliesslich mit dem Daumen der linken Hand aus dem Handgelenk geschüttelt haben, damit das Dämonische besser zur Geltung käme! Dieser Fingersatz erschwert die Stelle sehr, doch ist seine Wirkung eine ausgezeichnete. Im Ganzen war der Meister ein sehr gütiger, weiser Ratgeber, der stets das Wesentliche der betreffenden Stile traf und mit guten Beispielen sowie kurzen Vorspieltakten seine

Bemerkungen unterstützte. Sein Piano-Anschlag war wunderbar weich und mit einem gewissen Nachdruck. Lamond verfügte über einen schönen, melodischen Klang, weil sein Gehör die ganze auf dem Klavier erreichbare Dimension des Klanges bis zu seinem letzten Erlöschen (f, decresc.,ppp...) erfasste. Man darf dabei nicht vergessen, welch verblüffende Klarheit, welcher Glanz die Interpretation solcher Pianisten erreicht, die das Pedal sehr sparsam anwenden und so die hammerartigen Schlageigenschaften des Klaviers in äusserst vorteilhaftes Licht stellen können!

Da ich im Jahre 1940 am Internationalen Klavierwettbewerb in Genf den 1. Preis (à l'unamité) errungen hatte, engagierten mich einige Veranstalter des schweizerischen Musiklebens; so auch Alexander Schaichet als Leiter seines Kammerorchesters und als Freund meines unvergessenen Lehrers Emil Frey. Er trat mit mir in Kontakt, um am 23. September 1940 das E-Dur Klavierkonzert von Johann Sebastian Bach in der Tonhalle aufzuführen. Es war eine schöne, gehaltvolle Aufführung, besonders der langsame Satz mit seiner herrlichen Kantilene erfreute das Publikum. In den folgenden Jahren traf ich Alexander Schaichet noch oft nach Konzerten in der Tonhalle, und auch mit Irma Schaichet hatte ich über die Wettbewerbe des SMPV, bei welchen wir beide Jury-Mitglieder waren, guten Kontakt.

# weier prächtiger Menschen gilt es zu gedenken

*von Kurt Pahlen*

*Der Musikschriftsteller, Dirigent und Komponist Kurt Pahlen wurde 1907 in Wien geboren. Bei Ausbruch des Zweiten Weltkrieges liess er sich in Argentinien nieder, wo er Chefdirigent der Filarmonica Metropolitana und 1957 Direktor des Theatro Colon in Buenos Aires wurde. Anfang der 70er Jahre liess er sich in Männedorf am Zürichsee nieder, wo er 1982 eingebürgert wurde. Pahlen ist Autor zahlreicher Bücher.*

Es muss zu Anfang der Dreissigerjahre gewesen sein, als ich, damals ein blutjunger Kapellmeister, soeben der Universität und dem Konservatorium meiner Vaterstadt Wien entronnen, eine erste Einladung in die Schweiz erhielt. Oesterreich war arm geworden und klein, und nur heldenhafte Anstrengungen einiger idealistischer Männer konnten verhindern, dass es nicht auch noch unbedeutend wurde.

Ich dirigierte mein erstes Konzert in Zürich und wurde von den Orchestermusikern, hernach vom Publikum und zuletzt sogar von der Presse freundlich empfangen. Freilich musste ich mich erst daran gewöhnen, es hier mit einem ganz anderen Menschenschlag zu tun zu haben, als es meine Landsleute waren. Zu Anfang fehlte mir ein wenig von der Herzlichkeit, dem spontanen «Entgegenkommen» (im wahrsten Sinne des Wortes), dem sofortigen Kontaktfinden, das für mich von der Wiege an selbstverständlich war. Um so höher schlug mein Herz, als nach Ende des Konzerts ein unbekannter Herr ins Künstlerzimmer trat und mit offener, gewinnender Geste auf mich zutrat: meine Art des Musizierens hatte ihm sehr gefallen, wie er sagte. Ich erinnere mich jetzt, dass mein Lieblingsstück, Schuberts Fünfte Sinfonie, auf dem Programm gestanden hatte, ein damals noch äusserst selten gespieltes Werk. Er lud mich für einen der nächsten Tage zu sich und seiner Gattin ein. Es war

Alexander Schaichet, den ich vom Namen her ein wenig kannte, ohne zu ahnen, welche Bereicherung er in meinem jungen Leben bedeuten sollte.

Bei Schaichets fand ich so etwas wie ein Heim für die vielen Tage, die ich in den folgenden Jahren in Zürich verbrachte. Bei ihm und seiner Gattin fand ich jene Herzlichkeit, von der ich

oben sprach. Ob es seine slawische Abstammung war, sein nie zu verleugnendes Musikertum, sein lebhaftes Interesse an Menschen – er liess sich von mir unerfahrenem jungen Musiker gerne erzählen, wie ich meine Studienzeit bei zum Teil hochberühmten Meistern wie Felix von Weingartner, Clemens Krauss, oder dem Musikwissenschaftler Guido Adler erlebt hatte – sein stets überaus wacher Drang nach Neuem, Fesselndem, Interessantem... Die Abende im Haus Alexander und Irma Schaichets gehören für mich zu den besten Erinnerungen meiner jungen Jahre.

Seine Arbeit an der Spitze des von ihm ins Leben gerufenen Kammerorchesters Zürich grub sich mir ein. Damals war das Kammerorchester noch eine Seltenheit; erst spätere Zeiten nach dem Zweiten Weltkrieg begründeten, vor allem durch die Renaissance älterer Musik, vor allem aus dem Barock, die Geläufigkeit, die Selbstverständlichkeit dieser Formation. Alexander Schaichet war einer ihrer Pioniere. Ich erinnere mich, dass wir des öfteren darüber sprachen. Und da kam ich aus dem Staunen nicht mehr heraus: das Wissen dieses Mannes um verschollene Epochen, um vergessene Werke, um Seltenheiten und unbekannte Juwele der Musikgeschichte war unermesslich. Dabei dozierte er gar nicht, der geborene Dozent! Er analysierte aus dem Kopf komplizierte Passagen von Werken, die ich kaum je in der grossen Musikstadt Wien gehört habe. Am schönsten war es, wenn er über alte Instrumente sprach und mir gelegentlich besonders seltene Stücke vorführte, eine Viola d'amore, eine Gambe und anderes. Zu jedem Instrument wusste er eine Geschichte zu erzählen, eine Anekdote, eine Legende, irgend etwas Gewinnendes, zu dem er selbst lächelte. Ich habe viel bei ihm gelernt an jenen gemütlichen Abenden in seinem gastlichen, schönen Haus. Ich bin den beiden lieben, guten, hervorragenden Menschen herzlich dankbar dafür.

Wieviel Wasser ist seit damals meine heimatliche Donau hinabgeflossen, seine Limmat und Sihl. Generationen von Musikern kamen und gingen. Ich freue mich, dass die Initiative meines hochgeschätzten Kollegen und Freundes Richard Frank diese Erinnerung an weit zurückliegende Tage in mir wecken konnte. Zweier Urmusikanten, zweier prächtiger Menschen gilt es zu gedenken. Zweier Menschen, die wohl Monumente verdient hätten, sie aber «nur» in den Herzen mancher Überlebender haben dürften. Um so willkommener ist darum diese Publikation!

*Grabstein von Irma und Alexander Schaichet auf dem jüdischen Friedhof Friesenberg in Zürich.*

# IV. ANHANG

# Verzeichnis der Ur- und wichtigsten Erstaufführungen

*zusammengestellt von Verena Naegele*

Die Aufstellung der von Alexander Schaichet mit dem Kammerorchester Zürich (KAZ) ur- und erst-aufgeführten Werke stützt sich auf ein chronologisches Verzeichnis, welches das KAZ und dessen Präsident Oskar Mertens 1943 in einer kleinen Broschüre herausgegeben haben. Leider ist dieses Verzeichnis ungenau, unvollständig und zum Teil irreführend. Einzelne erst- oder uraufgeführte Werke fehlen, andere, die als Uraufführung angegeben sind, wurden von Schaichet zwar erst-, aber nicht uraufgeführt. Noch schwieriger gestaltete sich die korrekte Auflistung bei der Alten Musik, gab es doch damals von vielen Komponisten noch keine Werkverzeichnisse (Hoboken, Wotquenne etc.). In vielen Fällen waren daher die exakten Angaben nicht mehr eruierbar, weshalb auf deren Auflistung hier verzichtet wird.

Insgesamt wurden mit dem Kammerorchester Zürich 51 Werke uraufgeführt und 215 Werke erst-aufgeführt. Die Uraufführungen sind mit einem Stern gekennzeichnet. Am Schluss dieses alphabethisch gegliederten Verzeichnisses steht jeweils entweder das genaue Uraufführungsdatum oder die Saison der Erstaufführung. Innerhalb eines Komponistennamens werden die Werke chronologisch nach den Aufführungen durch das KAZ aufgelistet. Unterteilt wird ferner zwischen Orchester- und Bühnenwerken.

## Die Orchesterwerke

ALBRICI, Vincenzo: Festliche Sonate für Streicher, Trompeten und Orgel, 1932/33

ATTERBERG, Kurt: Konzert für Horn und Orchester, op. 67, 1928/29

BACH, Johann Bernhard: Erste Ouverture für Sologeige und Orchester (Bearbeitet von Alexander Fareann), 1939/40

BACH, Johann Christian: Sinfonia B-Dur, op. 18, «Lucio Silla» (Eingerichtet von Fritz Stein), 1926/27
Sinfonia concertante für Oboe, Violoncello und Orchester (Bearbeitet von Fritz Stein), 1936/37

BACH, Johann Christoph Friedrich: «Die Amerikanerin», Solokantate für Sopran und Orchester, W 18,3 (Bearbeitet von Georg A. Walter), 1939/40

BACH, Johann Sebastian: Konzert für drei Klaviere und Orchester d-moll, BWV 1063, 1923/24
Konzert für Violine, Oboe und Streichorchester d-moll, BWV 1060 (Aus der Fassung für 2 Klaviere zurückübertragen von Max Schneider), 1926/27
«Weichet nur, betrübte Schatten» (Hochzeits-Kantate), BWV 202, 1926/27
Ricercare aus dem «Musikalischen Opfer», BWV 1079 (Für Streichorchester gesetzt von Edwin Fischer), 1931/32
«Ich habe genug», Kantate für Bass, Oboe und Orchester, BWV 82, 1935/36
«Mein Herze schwimmt im Blut», Kantate für Sopran und Orchester, BWV 199 (aufgefunden um 1912, herausgegeben von C.A. Martienssen), 1937/38
«Ich weiss, dass mein Erlöser lebt», Kantate für Tenor, Solovioline und einige Instrumente, BWV 160

BACH, Wilhelm Friedemann: Konzert für Cembalo, Streicher und Basso continuo (Herausgegeben von Walter Upmeyer, 1931), 1937/38

BALMER, Luc: Symphonische Suite für Streichorchester ★ (Alexander Schaichet und dem Kammerorchester Zürich gewidmet), UA: 16. November 1939

BARTÓK, Béla: Drei Dorfszenen für 4 Frauenstimmen und Kammerorchester (Worte und Weisen aus dem Komitat Zvolen), 1. Hochzeit, 2. Wiegenlied, 3. Burschentanz (1924), 1927/28
Musik für Saiteninstrumente, Schlagzeug und Celesta (1936/37), 1937/38
Divertimento für Streichorchester (1939), Im Rahmen der Pro Musica, 1940/41

BECK, Conrad: Konzertmusik für Oboe und Streichorchester (1932), (überarbeitete Fassung), Im Rahmen der Pro Musica, 1935/36
Serenade für Flöte, Klarinette und Streichorchester (1935), Im Rahmen der Pro Musica, 1936/37

BINET, Jean: Trois Pièces pour orchestre à cordes (1937/39; UA: 1941), Im Rahmen der Pro Musica (Orchester durch Mitglieder des Radio-Orchesters und des Tonhalle-Orchesters verstärkt), 1941/42

BIRCHER, Max Edwin: «Requiescas», Kantate für Alt, Kammerorchester und Orgel ★, UA: 27. April 1941

BLOCH, Ernest: Four Episodes für kleines Orchester (1926), 1933/34

BLUM, Robert: 3. Sinfonie für kleines Orchester ★, UA: 29. September 1927
Vier Psalmen für Sopran und Kammerorchester ★ (Alexander Schaichet und dem Kammerorchester Zürich gewidmet), UA: 6. April 1933
Zweite Partita für kleines Orchester ★, Im Rahmen der Pro Musica, UA: 26. März 1936
Phantasie und Fuge für Streichorchester (1932), 1935/36
«Von der Erlösung durch den Geist in Jesu Christo», Kantate für gemischten Chor und Streichorchester (1933), 1935/36
Rhapsodische Gesänge am Meer, für Tenor, Kammerchor und Kammerorchester nach Worten von Inez Maggi ★, UA: 25. April 1940
Passionskonzert für Streichorchester und obligate Orgel ★, UA: 18. April 1943

BOCCHERINI, Luigi: Konzert für Violine und Orchester D-Dur, 1929/30

BORODIN, Alexander: Scherzo für Streichorchester As-Dur (1885), 1922/23

BRAUNFELS, Walter: Konzert für Orgel, Streicher, Blechbläser, Pauken und Knabenchor, op. 38, 1929/30
«Der gläserne Berg», Märchensuite für kleines Orchester, op. 39 (1929), 1930/31

BURKHARD, Paul: Wunderliche Gedanken eines Musikfreundes, Bilderfolge für eine Basstimme und kleines Orchester ★, UA: 4. März 1937

BURKHARD, Willy: Lieder der Mädchen, Fünf Gesänge für Sopran mit einigen Instrumenten, op. 20, Nr. 2, 1933/34
Fantasie für Streichorchester, op. 40, 1934/35
Toccata für Streichorchester, op. 55 ★ (Dem Kammerorchester Zürich und seinem Leiter Alexander Schaichet gewidmet), UA: 30. März 1939

Concertino für Cello und Streichorchester, op. 60, Im Rahmen der Pro Musica (Orchester durch Mitglieder des Radio-Orchesters und des Tonhalle-Orchesters verstärkt), 1941/42

CASELLA, Alfredo: Concerto Romano für Orgel und Orchester (1926), 1927/28

DAVID, Karl Heinrich: Concertino für Fagott und Streichorchester ★, (Rudolf Leuzinger gewidmet), Unter persönlicher Leitung des Komponisten, UA: 14. November 1940

DEBUSSY, Claude: Zwei Tänze für chromatische Harfe und Streichorchester (1904), 1924/25

DELIUS, Frederick: «On hearing the first cockoo in spring» (1911), Skizze für kleines Orchester, 1927/28

DIENER, Theodor: Sinfonietta für kleines Orchester, 1941/42
Konzert für Klavier, Streichorchester und Schlagzeug ★, UA: 21. Februar 1943

DITTERSDORF, Karl Ditters von: Le Carnaval ou la Redoute, 1927/28
Konzert für Cembalo und Streicher A-dur (Hrsg. von Dr. Walter Upmeyer), 1931/32
Konzert für Violine und Orchester G-Dur, 1934/35

ERMATINGER, Erhart: Fuga für Streichorchester, op. 9, 1930/31
Passions-Kantate für Alt und Streichorchester ★, Im Rahmen der Pro Musica, Unter persönlicher Leitung des Komponisten, UA: 26. März 1936

FORTNER, Wolfgang: Fragment Mariae, Kammerkantate für Sopran und 8 Instrumente, nach Martin Raschke (1929), 1930/31
Konzert für Orgel und Streichorchester (1932), 1932/33
Konzert für Streicher (1933), 1934/35
Concertino für Bratsche und kleines Orchester ★, Unter persönlicher Leitung des Komponisten, UA: 24. Januar 1935

FREY, Emil: «Bekränzter Kahn» für Sopran, Flöte, Klavier und Streichorchester, op. 54 ★, UA: 27. Oktober 1923 in Aarau
Fuge für Orgel, Streichorchester, 2 Trompeten und Pauken, op. 65 ★, UA: 23. Nov. 1933
Capriccio über zwei russische Volkslieder für Klavier und Kammerorchester, op. 78 ★ (Dem Kammerorchester Zürich zugeeignet), Emil Frey am Klavier, UA: 25. April 1940

FRÜH, Huldreich Georg: Concerto grosso für Streichorchester ★, Im Rahmen der Pro Musica, UA: 26. März 1936

GABRIELI, Giovanni: Sonate pian e forte, alla quarta bassa, C 3531, Nr. 6, für Blechbläser, 1930/31

GASSMANN, Florian Leopold: Symphonie h-moll, für kleines Orchester (Herausgegeben von Dr. Karl Geiringer, 1933), 1937/38

GEISER, Walther: Konzert für Orgel und Kammerorchester, op. 30 ★, UA: 27. April 1941

GLASUNOW, Alexander: Noveletten für Streichorchester (1886), 1922/23

GLUCK, Christoph Willibald: Sinfonia G-Dur für Orchester (Bearbeitet von Hans Gál), 1938/39

GRAENER, Paul: Divertimento für kleines Orchester, op. 67, 1928/29

GRETSCHANINOW, Alexander: Feuilles mortes, Drei Naturbilder für Altstimme und Streicher, op. 52 (1911), 1928/29

HÄNDEL, Georg Friedrich: Concerto grosso op. 3, Nr. 1, B-Dur (Bearbeitet von Max Reger), 1922/23
Traummusik aus der Oper «Alcina» für Orchester, HV 34, 1929/30
**Doppelchöriges Orchesterkonzert B-Dur in zwei Sätzen (um 1715), 1929/30**
«Delirio amoroso» (Liebeswahnsinn), Kantate für hohen Sopran und Kammerorchester, 1932/33
Ouvertüre zur Oper «Alcina», HV 34, 1934/35
«Lucrezia», Solokantate, HV 145 (Bearbeitet für Streichorchester und Cembalo von Rudolf Moser), 1935/36

HAY, Fred C.: Konzert für Klavier und Kammerorchester h-moll, op. 27 ★, UA: 30. März 1939

HAYDN, Joseph: Sinfonia concertante für Oboe, Fagott, Violine, Cello und Streichorchester, op. 84, 1925/26
Konzert für Oboe und Orchester C-Dur, Hob XIIg (Instrumentiert von de Boeck), 1928/29
Konzert für Klavier und Orchester D-Dur, **Hob XVIII: 11, 1929/30**

HEINICHEN, Johann David: Konzert a 8, für 4 Flöten, Streichorchester und Continuo, Im Rahmen der Pro Musica, 1940/41

HESS, Ernst: Sonate à 5 für Streichorchester ★, UA: 10. März 1938
Konzert für Bratsche, Cello und Kammerorchester ★, UA: 16. November 1939

HINDEMITH, Paul: Kammermusik Nr. 2, op. 36, Nr. 1 (Klavierkonzert), 1930/31
Trauermusik, für Bratsche und Streichorchester (1936), Im Rahmen der Pro Musica, 1936/37
Kammermusik Nr. 3, op. 36, Nr. 2 (Cellokonzert), Im Rahmen der Pro Musica, 1936/37

HOLST, Gustav: A Fugal Concerto, op. 40, Nr. 2, für Flöte, Oboe und Kammerorchester, 1926/27

HONEGGER, Arthur: «Le dis des Jeux du Monde», Suite für Kammerorchester (1918), 1933/34

JANÁČEK, Leoš: Concertino für Klavier und einige Instrumente (1925), 1935/36

JENNY, Albert: Konzertante Musik für Cello und Streichorchester (1938), Im Rahmen der Pro Musica, 1940/41
Konzert für Oboe und Streichorchester ★, UA: 23. Februar 1942

JUON, Paul: Kammersymphonie für Streichorchester, Oboe, Klarinette, Horn, Fagott und Klavier, op. 27, 1921/22

KADOSA, Paul: Concertino für Bratsche und Kammerorchester, op. 27 ★, UA: 23. September 1937

KAMINSKI, Heinrich: Concerto grosso für Doppelorchester (1923), 1925/26
Fuga für Streichorchester (Bearbeitung des Streichquintetts fis-moll von Reinhart Schwarz-Schilling, 1927), 1930/31

KLETZKI, Paul: Sinfonietta für Streichorchester, op. 7, 1925/26

KLOSE, Friedrich: Streichquartett (1911), in einer autorisierten Einrichtung für Streichorchester von Alexander Schaichet («Ein Tribut in vier Raten entrichtet an seine Gestrengen den deutschen Schulmeistern»), 1942/43

KODÁLY, Zoltán: «Sommerabend» für kleines Orchester (1906, Neufassung 1930), 1930/31

KORNGOLD, Erich Wolfgang: Suite für Kammerorchester, op. 11 (Zu Shakespeares «Viel Lärm um nichts»), 1930/31

KŘENEK, Ernst: O Lacrimosa, Trilogie für Sopran und einige Instrumente, op. 28, 1930/31
Concertino für Flöte, Violine, Cembalo und Streichorchester, op. 27, Im Rahmen der Pro Musica, 1935/36

KRIEGER, Johann Philipp: Suite aus «Lustige Feldmusik» (1704), (Bearbeitet von A. Schering), 1922/23

KUSTERER, Arthur: Sinfonische Gesänge für Sopran und Kammerorchester, op. 12 ★, UA: 4. April 1927
Kantate für Sopran, Bass und Orchester ★, UA: 11. Dezember 1927
Konzert für Klavier und Streichorchester ★ (Dem Kammerorchester Zürich gewidmet), UA: 10. April 1930

LANG, Walter: Bulgarische Volksweisen, Suite für Kammerorchester, op. 18 ★,

UA: 14. März 1928
Galgenlieder, op. 27 ★, für eine Basstimme und
kleines Orchester, Unter persönlicher Leitung
des Komponisten, UA: 4. März 1937
Variationen über ein sibirisches Sträflingslied für
Bratsche und Orchester, op. 28 ★,
UA: 19. Januar 1938
Fantasie für Violine, Cello, Klavier und
Orchester, op. 40 ★, Unter persönlicher Leitung
des Komponisten, Im Rahmen der Pro Musica
(Orchester durch Mitglieder des Radio-
Orchesters und des Tonhalle-Orchesters ver-
stärkt), UA: 16. Oktober 1941
LAQUAI, Reinhold: Suite für Streichorchester,
op. 55 ★ (Dem Kammerorchester Zürich
gewidmet), UA: 11. Oktober 1926
MALER, Wilhelm: Orchesterspiel (1930),
1930/31
MÁREK, Czeslaw: Ländliche Szenen für Bariton
und Kammerorchester, op. 30, Im Rahmen der
Pro Musica, 1940/41
MARTINŮ, Bohuslav: Partita (Suite Nr. 1) für
Streichorchester (1931), 1935/36
MERIKANTO, Aarre: Konzertstück für Cello
und Kammerorchester ★,
UA: 11. Oktober 1926
MESSNER, Joseph: «Das Leben», Sympho-
nisches Chorwerk, op. 13, 1926/27
MILHAUD, Darius: Cinq Etudes pour piano et
orchestre (1920), 1927/28
MJASKOWSKY, Nicolai: Sinfonietta für
Streichorchester, op. 32, Nr. 2, 1932/33
MOESCHINGER, Albert: Variationen und
Finale über ein Thema von Purcell für
Streichorchester, Pauke und kleine Trommel,
op. 32 ★ (Herrn Alexander Schaichet gewidmet),
UA: 23. November 1933
Divertimento für Streichorchester, op. 34,
Nr. 2, 1934/35
Konzert für Violine, Streichorchester, Pauke und
kleine Trommel, op. 40, Im Rahmen der Pro
Musica, 1936/37
Prélude et dialogue pour deux voix d'hommes et
orchestre à cordes, op. 47 (d'après «Toute mon-
tagne et toute colline seront abaissées» de Robert
Crottet), 1940/41
MOLNÁR, Antal: Traum-Suite für zwei
Streichorchester ★ (Alexander Schaichet
gewidmet), UA: 25. April 1940
MONN, Georg Matthias: Konzert für Cello und
Streicher (Bearbeitung des Cembalokonzertes,
Instrumentierung von Arnold Schönberg, Pablo
Casals gewidmet), 1929/30
MONTEVERDI, Claudio: «Lamento

d'Arianna» für eine Altstimme und Orchester
(Neu instrumentiert von Karl Orff), 1930/31
MOSER, Rudolf: Tripelkonzert für Violine,
Bratsche, Cello und Streichorchester, op. 46,
1932/33
Konzert für Bratsche und Kammerorchester,
op. 62 ★, Unter persönlicher Leitung des
Komponisten, UA: 24. Januar 1935
MOZART, Wolfgang Amadeus: Konzertrondo
für Klavier und Orchester, KV 382 (Kadenz von
Wolfgang Jacobi), 1928/29
Klavierkonzert D-Dur, KV 175, 1930/31
MÜLLER VON KULM, Walter: Musik für
Streichorchester, Cembalo, Solovioline und
Solo-Bratsche, op. 34, Im Rahmen der Pro
Musica, 1935/36
Kammerkonzert für Violine und
Streichorchester, op. 23, 1938/39
MÜLLER-ZÜRICH, Paul: Concerto f-moll für
Viola und kleines Orchester, op. 24 ★, Unter
persönlicher Leitung des Komponisten,
UA: 24. Januar 1935
Concerto G-Dur für Violine und kleines
Orchester, op. 25 ★, (Karl Zimmerli gewidmet),
Im Rahmen der Pro Musica, Unter persönlicher
Leitung des Komponisten, UA: 26. März 1936
Konzert für Orgel und Streichorchester,
op. 28 ★, Unter persönlicher Leitung des
Komponisten, UA: 27. November 1938
Präludium, Aria und Fuge für
Kammerorchester, op. 21, Unter persönlicher
Leitung des Komponisten, Im Rahmen der Pro
Musica (Orchester durch Mitglieder des Radio-
Orchesters und des Tonhalle-Orchesters ver-
stärkt), 1941/42
Psalmenmusik für Sopran-Solo und
Streichorchester, op. 36 ★ (Hedwig Müller-Welti
gewidmet), Unter persönlicher Leitung des
Komponisten, UA: 26. April 1942
MUSSORGSKY, Modest: Bilder einer
Ausstellung (Für Kammerorchester eingerichtet
von Alexander Schaichet), 1923/24
Lieder und Tänze des Todes für Singstimme und
Orchester (1875/77), 1928/29
NIELSEN, Carl: Konzert für Klarinette und
kleines Orchester, op. 57, 1934/35
NUSSIO, Otmar: Konzert für Flöte und
Streichorchester, 1936/37
ORFF, Karl: Kleines Konzert für Cembalo und
einige Instrumente (Nach Lautensätzen aus dem
16. Jahrhundert) (1927), 1932/33
QUANTZ, Joseph Joachim: Flötenkonzert
Nr. 161, G-Dur (Bearbeitet von J. Weissen-
horn), 1922/23

RAVEL, Maurice: Introduction et Allegro für
Harfe, Flöte, Klarinette und Streichquartett
(1907), 1920/21
REGER, Max: 4 Vortragsstücke aus op. 103a
(Für Streicher und Flöte gesetzt von Alexander
Schaichet), 1922/23
Suite im alten Stil, op. 93 (Original für Violine
und Klavier, für Orchester gesetzt von Max
Reger), 1923/24
Präludium und Fuge g-moll, op. 117, 1924/25
REHBERG, Walter: Konzertante Musik für
Klavier, Klarinette, Horn und Streichorchester,
op. 12 ★, UA: 14. November 1940
REIFF, Lily: «Drei Reigen» für Streichorchester
und Harfe ★, UA: 18. Januar 1925
RESPIGHI, Ottorino: Trittico Botticelliano per
piccola orchestra (1927), 1929/30
Concerto Gregoriano für Violine und Orchester
(1921), 1933/34
REUSS, August: Sommeridylle, zwei Sätze für
kleines Orchester, op. 39 ★,
UA: 9. November 1921
RIETI, Vittorio: Konzert für Bläserquintett und
kleines Orchester (1924), 1925/26
RIMSKI-KORSAKOW, Nikolai: Quartett,
Arie und Chor aus der Oper «Zarenbraut»
(1898), 1921/22
Suite für Orchester aus der Märchenoper «Zar
Saltan» (1900), 1928/29
ROSENBERG, Hinding: Suite für kleines
Orchester, op. 31, 1934/35
ROSENMÜLLER, Johann: Kammersonate
D-Dur für Streicher und Continuo (1670),
1934/35
ROSZA, Miklos: Serenade für kleines Orchester,
op. 10, 1937/38
ROTHMÜLLER, Marko: Musik für Bratsche
und Kammerorchester ★, Unter persönlicher
Leitung des Komponisten,
UA: 19. Januar 1938
SAMMARTINI, Giovanni Battista: Sinfonie
Nr. 3, D-Dur (Herausgegeben von Robert
Sondheimer), 1938/39
SCHÖNBERG, Arnold: «Verklärte Nacht»,
op. 4, Streichorchester-Fassung, 1924/25
SCHOSTAKOWITSCH, Dimitrij: Zwei Stücke
für Streicher, op. 11 (Dem Andenken von
V.I. Kurtschawow gewidmet), 1932/33
SCHÜTTER, Meinrad: 5 Varianten und Meta-
morphose für Kammerorchester, op. 16b ★
(Alexander Schaichet zugeeignet),
UA: 30. März 1939
SCHÜTZ, Heinrich: «Lobet den Herrn in
seinem Heiligtum», Lobgesang für Sopran und

Orchester, SWV 350, 1929/30
Psalm 18, SWV 469, für Altstimme und einige Instrumente, 1933/34
SEKLES, Bernhard: Serenade für 11 Soloinstrumente, op. 14, 1920/21
«Gesichte», Phantastische Miniaturen für kleines Orchester, op. 29, 1927/28
STAMITZ, Carl: Concerto D-Dur für Viola und Orchester, op. 1, Nr. 1, 1938/39
STAMITZ, Johann: Sinfonie D-dur für Kammerorchester (Reitersinfonie), (Bearbeitet von Robert Sondheimer), 1935/36
Sinfonie B-Dur, 3. Mannheimer (Bearbeitet von Robert Sondheimer), 1938/39
STÖLZEL, Gottfried Heinrich: Concerto grosso D-Dur a quattro chori, 1928/29
Konzert für 6 Trompeten, Pauken und Orchester, 1928/29
Solokantate «Aus der Tiefe rufe ich», 1933/34
STRIEGLER, Kurt: Blumenritornelle für Sopran und Kammerorchester, op. 60, 1928/29
STURZENEGGER, Richard: 1. Konzert für Cello und kleines Orchester ★,
UA: 6. April 1933
2. Konzert für Cello und Streichorchester ★,
UA: 10. März 1938
Gesangsszene für eine Altstimme und kleines Orchester ★ (Monolog der Hero aus Grillparzers «Des Meeres und der Liebe Wellen»),
UA: 21. Februar 1943
TARTINI, Giuseppe: Konzert für Violoncello und Orchester D-Dur, 1938/39
TELEMANN, Georg Philipp: Ino, TV20, 41, Dramatische Kantate für Sopran und Orchester (Eingerichtet von Karl Straube), 1929/30
Konzert für Flöte, Oboe d'amore, Viola d'amore, Streicher und Basso continuo, BE 9 (Bearbeitet von Fritz Stein), 1939/40
Konzert D-Dur für 3 Trompeten, 2 Oboen, Pauken, Streichorchester und Basso continuo, BD1, 1940/41
THOMAS, Kurt: Serenade für kleines Orchester, op. 10, 1930/31
TOCH, Ernst: Kammerkonzert für Cello und kleines Orchester, op. 35, 1925/26
«Die chinesische Flöte», Kammersymphonie für 14 Soloinstrumente und eine Sopranstimme, op. 29, 1927/28
TSCHEREPNIN, Alexander: Kammerkonzert D-Dur für Flöte, Violine und kleines Orchester, op. 33, 1925/26
Concertino für Violine, Cello, Klavier und Streichorchester, op. 47, 1932/33
VAUGHAN WILLIAMS, Ralph: Fantasie

über ein Thema von Th. Tallis für doppeltes Streichorchester (1910, Revision 1913), 1927/28
VIVALDI, Antonio: Konzert-Sonate e-moll für Cello und Streicher (Bearbeitet von Vincent d'Indy), 1938/39
WALTERSHAUSEN, Hermann Wolfgang Sartorius: Krippenmusik für Kammerorchester und obligates Cembalo (1926), 1927/28
WECKMANN, Matthias: «Wie liegt die Stadt so wüste», Kantate für Sopran, Bass und Orchester (1663), 1941/42
WEHRLI, Werner: Sinfonietta für Klavier, Flöte und Streichinstrumente, op. 20 ★,
UA: 27. Oktober 1923 in Aarau
WEINER, Leo: Serenade für kleines Orchester f-moll, op. 3, 1920/21
WEISMANN, Julius: «Fantastischer Reigen», op. 50 (Streichorchesterfassung), 1923/24
WERNER, Gregor Joseph: Neuer und sehr curioser musikalischer Instrumental-Kalender (1787), (Bearbeitet von Fritz Stein), 1924/25
WITTELSBACH, Rudolf: Musik Nr. 2 für Kammerorchester oder «Die Rache des Klavierlehrers» ★, UA: 4. März 1937
Konzert für Klavier und Orchester ★, Rudolf Wittelsbach am Klavier, Im Rahmen der Pro Musica (Orchester durch Mitglieder des Radio-Orchesters und des Tonhalle-Orchesters verstärkt), UA: 16. Oktober 1941
WOLF-FERRARI, Ermanno: Kammersymphonie B-Dur, op. 8, 1922/23
WOLFURT, Kurt von: 4. Concerto grosso für kleines Orchester, op. 20, 1932/33
WUNSCH, Hermann: Kammerkonzert für Klavier und kleines Orchester, op. 35, 1925/26
ZOELLNER, Richard: Kleine Kammersymphonie für Streichorchester, op. 7 ★,
UA: 19. Mai 1921

## Bühnenwerke

DE FALLA, Manuel: «Meister Pedros Puppenspiel», Oper in einem Akt.
Regie: Ottilie Hoch-Altherr, Bühnenbild und Puppen: Otto Morach (Im Rahmen des IGNM-Festes 1926 in Zürich, im Landesmuseum)
HAYDN, Joseph: «Das Ochsenmenuett», Oper in einem Akt. Bearb. von I. von Seyfried nach Werken Haydns, Hob I, 577. Regie: Paul Trede, Bühnenbild: Gregor Rabinowitch. (Im Opernhaus Zürich im Rahmen eines Abends zum Thema «Faschingsschwank»), 1929/30
HINDEMITH, Paul: «Hin und zurück», op. 45a, Kurzoper. Regie: Paul Trede, Bühnenbild: Gregor Rabinowitch. (Im Opernhaus Zürich im Rahmen eines Abends zum Thema «Zeitgenössische Grotesken»), 1930/31
MILHAUD, Darius: Akustische Filmschau für Hellseher. Regie: Paul Trede, Bühnenbild: Gregor Rabinowitch. (Im Opernhaus Zürich im Rahmen eines Abends zum Thema «Zeitgenössische Grotesken»), 1930/31
MOSSOLOW, Alexander: «Akustische Toninserate», Regie: Paul Trede, Bühnenbild: Gregor Rabinowitch. (Im Opernhaus Zürich im Rahmen eines Abends zum Thema «Zeitgenössische Grotesken»), 1930/31
POISE, Ferdinand Jean Alexandre: «Schlaft wohl Herr Nachbar» (Bonsoir, voisin), Komische Oper in 1. Akt. Regie: Paul Trede, Bühnenbild: Gregor Rabinowitch. (Im Opernhaus Zürich im Rahmen eines Abends zum Thema «Faschingsschwank»), 1929/30
PURCELL, Henry: Dido und Aeneas, Oper in 3 Akten (konzertante Aufführung in der Tonhalle Zürich), 1926/27
TOCH, Ernst: «Die Prinzessin auf der Erbse», Märchenoper, op. 43. Regie: Paul Trede, Bühnenbild: Gregor Rabinowitch (Im Opernhaus Zürich im Rahmen eines Abends zum Thema «Faschingsschwank»), 1929/30
«Egon und Emilie», Kurzoper (1928). Regie: Paul Trede, Bühnenbild. Gregor Rabinowitch (Im Opernhaus Zürich im Rahmen eines Abends zum Thema «Zeitgenössische Grotesken»), 1930/31

## Literatur

*II. Kapitel,*
*zu Richard Frank*
*Im 19. Jahrhundert verwurzelte Klaviertradition*

*Ernst Burger:* Franz Liszt. Eine Lebenschronik in Bildern und Dokumenten, List Verlag 1986. Béla Bartók: About Istvan Thomán, Faber & Faber.

*János Demény:* Béla Bartók und die Musikakademie, Studia Musicologica XXIII 1981.

*Malcolm Gillies:* Béla Bartók im Spiegel seiner Zeit, Musik & Theater Verlag AG, Zürich 1991.

*Klara Hamburger:* Franz Liszt, Corvina 1986.

*Everett Helm:* Bartók, Rowohlt Taschenbuch Verlag GmbH 1965.

*Wilhelm Jerger:* Franz Liszts Klavierunterricht von 1884–1886 (August Göllerich), Gustav Bosse Verlag, Regensburg 1975.

*Dezsö Legány:* Liszt and his Country 1869–73, Corvina 1983.

*ders.:* Liszt and his Country 1874–1886, Occidental Press 1992.

*Ilona Mona:* The history of the Ferenc Liszt Society, Liszt Ferenc Társáság 1993.

*Viktor Papp:* Die noch lebenden Schüler Franz Liszts (Stefan Thomán), Pester Lloyd 9. Nov. 1935.

*Margrit Prahács:* Franz Liszt und die Budapester Musikakademie, Corvina 1978.

*Lina Ramann:* Lisztiana, B. Schott's Söhne, Mainz 1983.

*Daniel M. Raessler:* Ferrucio Busoni as Interpreter of Liszt, American Liszt Society, Vol. IX, June 1981. Riemann-Musik-Lexikon, B. Schott's Söhne, Mainz 1959.

*László Somfai:* Liszt's influence on Bartók reconsidered, The New Hungarian Quarterly, Vol. XXVII, 1986.

*Stefan Thomán:* Grundlage der Klaviertechnik, Karl Rozsnyai/EMB.

*Joseph Willimann:* Der Briefwechsel zwischen F. Busoni und V. Andreae 1907–23, Kommissionsverlag Hug & Co. Zürich 1994.

*Adrian Williams:* Portrait of Liszt, Clarendon Press, Oxford 1990.

## Anmerkungen

*I. Kapitel,*
*Ein selbstloser Pionier*

1 Peter Kamber: Wladimir Rosenbaum und Aline Valangin - Geschichte zweier Leben, Zürich 1990. S. 7f

2 Das Zitat stammt aus Tonband-Aufzeichnungen, die Irma Schaichet in den 70er Jahren angefertigt hatte. Alle weiteren Zitate von Irma Schaichet stammen von diesem Tonband und werden nicht mehr speziell vermerkt.

3 Musik in Geschichte und Gegenwart (MGG), Bd. 8, S. 564, Stichwort «Leipzig»

4 Zu Reger im Folgenden vgl. Helmut Wirth: Max Reger, Hamburg 1973. S. 110ff

5 Die «Gaselen» op, 38 für Bariton und Orchester wurde im Rahmen eines Pro Musica Konzertes 1936 vom Kammerorchester Zürich aufgeführt. Solist war Felix Löffel, als Dirigent amtete aber nicht Schaichet selber, sondern Richard Sturzenegger.

6 Zu Stein, vgl. MGG (a.a.O.), Bd. 12, S. 1234ff

7 Nach einer Aussage von Georg Kertész, langjähriger 1. Bratschist des Tonhalle orchesters und mit Schaichet befreundet.

8 Die Aufenthaltsorte und Dauern von Alexander Schaichet in der Schweiz lassen sich fast lückenlos aus den Akten im Stadtarchiv Zürich rekonstruieren.

9 Sigmund Widmer: Zürich - eine Kulturgeschichte. Bd. 11: Krieg und Krise, 1983. S. 30ff

10 Zu Rabinowitch vgl: Gregor Rabinowitch, 1884-1958, Luzern 1994.

11 Widmer, a.a.O. S. 52f

12 Ernst Isler: Das Zürcherische Konzertleben seit der Eröffnung der neuen Tonhalle 1895, Zweiter Teil (1914-1931). 124. Neujahrsblatt der Allgemeinen Musikgesellschaft in Zürich auf das Jahr 1936.

13 Isler, a.a.O., S. 18

14 Widmer, a.a.O., S. 61

15 Widmer, S. 63ff und Isler, S. 27

16 Rudolf Schoch: Hundert Jahre Tonhalle Zürich 1868-1968, Zürich 1968.

17 Ernst Lichtenhahn: Aspekte einer Geschichte des Kammerorchesters. in: Sibylle Ehrismann: Fünfzig Jahre Collegium Musicum Zürich, Zürich 1994.

18 Anton Häfeli: Die internationale Gesellschaft für Neue Musik «IGNM». Ihre Geschichte von 1922 bis zur Gegenwart, Zürich 1982. ders.: Die internationalen Musikfeste in Zürich. 161. Neujahrsblatt der Allg. Musikgesellschaft Zürich, Zürich 1977.

19 Die Aussagen von Schütter stammen aus einem gemeinsamen Gespräch und aus einem Brief, den der Komponist mir geschrieben hat.

20 Lichtenhahn, a.a.O., S. 74f

21 SMZ 1932, 72. Jahrgang, S. 272f

22 Sibylle Ehrismann: Fünfzig Jahre Collegium Musicum unter der Leitung von Paul Sacher. in: Ehrismann a.a.O.

23 SMZ, 71. Jahrgang, 1931, S. 756

24 SMZ, 69. Jahrgang, 1929, S. 821

25 Willi Schuh: Schweizer Musikbuch in zwei Bänden. I. Teil: Geschichte der Musik in der Schweiz, Zürich 1939. S. 139ff

26 Ernst Isler im Programm zum Tonkünstlerfest 1939.

27 Die folgenden Ausführungen zu Robert Blum beruhen auf einem Gespräch, das ich mit dem Komponisten in seinem Heim im Juni 1994 geführt habe. Blum starb am 10. Dezember 1994.

28 Willi Schuh: Schweizer Musik der Gegenwart. In: Kritiken und Essays Bd. III., Zürich 1948. S. 223

29 Friedrich Jacob: Paul Müller-Zürich, Winterthur 1991.

30 Ernst Mohr: Willy Burkhard. Leben und Werk, Zürich 1957.

31 Dies geht aus einem Brief Schaichets an Werner Reinhart in Winterthur hervor.

32 Willi Schuh: Kritiken, a.a.O., S. 179

33 Moeschingers «Variationen»: UA «KAZ» 23. Nov. 1933, EA «BKO» 8. Dez. 1933; Moeschingers «Divertimento»: UA «BKO» 30. Okt. 1934, EA «KAZ» 16. Nov. 1934; Blums «Vier Psalmen»: UA «KAZ» 6. Apr. 1933, EA «BKO» 30. Apr. 1933; Mosers Tripelkonzert: UA «BKO» 6. Nov. 1930, EA «KAZ» 20. Okt. 1932; Blochs «Episoden»: EA «BKO» 28. Febr. 1933, EA «KAZ» 6. Apr. 1933; u.s.w.

34 Heinrich Lindlar (Hrsg.): Wolfgang Fortner. In: Kontrapunkte, Schriften zur deutschen Musik der Gegenwart, Bd. 4, Rodenkirchen 1960.

35 Briner, Rexroth, Schubert: Paul Hindemith, Zürich 1988.

36 Das Programmbuch des Internationalen

Festivals von Davos 1994, das der Musik-produktion der 20er Jahre gewidmet war, enthält interessante Texte zu diesem Thema von Walter Labhart.

37  Alexander l. Suder (Hrsg): Heinrich Kaminski. In: Komponisten in Bayern Bd. 11, Tutzing 1986.

38  Suder, a.a.O., S. 113f

39  vgl. dazu Ehrismann, a.a.O., S. 47ff

40  Sämtliche erhaltenen Dokumente zu diesem Anlass sind im Stadtarchiv Zürich archiviert.

41  Der Nachlass von Lily Reiff befindet sich im Archiv des Frauenmusikforum Schweiz. Zudem gab mir Maria Stader zu Reiffs interessante Hinweise.

42  Widmer, a.a.O. Bd. 12, S. 25ff

43  Die Aussagen zur pädagogischen Tätigkeit Schaichets stammen von André Jacot, Heidi Stalder-Ulrich und Mirjam Forster-Schaichet.

*II. Kapitel,*
*Streiflichter auf das Leben von Irma Schaichet*

1  Das Folgende basiert auf einem Lebensbild, das Irma Schaichet auf einer Tonbandkassette hinterlassen hat, sowie auf amtlichen Dokumenten und auf Angaben von Mirjam Forster-Schaichet.

2  Malcolm Gillies: Béla Bartók im Spiegel seiner Zeit, Zürich, St.Gallen 1991.

3  Die Zusammenstellung des Repertoires beruht auf erhaltenen Konzertprogrammen und -rezensionen.

4  Das Werk wurde später für Klavier bezeichnet wohl auch, weil in den UA-Besprechungen der Cembalo-Klang einhellig moniert wurde.

5  Zur jüdischen Musik haben sowohl Rothmüller als auch Stutschewsky, die beide regelmässig mit Irma und Alexander Schaichet konzertierten, interessante Bücher geschrieben. Marko Rothmüller: Die Musik der Juden – Versuch einer geschichtlichen Darstellung ihrer Entwicklung und ihres Wesens, Zürich 1951. Joachim Stutschewsky: Mein Weg zur jüdischen Musik, Wien 1955. derselbe: Musika Jehudit (Jüdische Musik), Israel 1946.

6  Nach Aussagen von Mirjam Forster-Schaichet und Annie Fischer, die sich in diesem Buch noch ausführlich dazu äussert.

7  Lily Reiff-Sertorius: Aus meinem Leben, Roma 1976.

8  Aus dem Nachruf auf Irma Schaichet.

9  Dieser Abschnitt stützt sich auf Angaben von Mirjam Forster-Schaichet, Hans J. Bär und Walter Weber.

## Fotonachweis

## Danksagung

Es ist mir ein Anliegen, all denjenigen zu danken, ohne deren Hilfe und Auskünfte dieser Band nicht entstanden wäre. An erster Stelle gilt mein Dank Dr. med. Mirjam Forster-Schaichet, die mir stets bereitwillig Auskunft gab und mir uneingeschränkte Einsicht in das Privatarchiv gewährte, sowie lic.phil. Sibylle Ehrismann, die mit Rat und Tat das Werden des Buches umsichtig begleitete. Marianne Dahinden, die Enkelin von Irma und Alexander Schaichet, und Evelyn Schweizer haben mir die Idee zu einem Buch über Alexander Schaichet gegeben, wobei Evelyn Schweizer mit ihren Fotographien den nun entstandenen Bildband bereichert. Des Weiteren gilt mein Dank auch folgenden Persönlichkeiten und Institutionen: Robert Blum, André Jacot, Paul Sacher, Meinrad Schütter, Maria Stader, Heidi Stalder-Ulrich, Conrad Ulrich, Walter Weber, Museum Bellerive Zürich, Albert-Moeschinger-Stiftung Basel, Stadtarchiv Zürich und insbesondere Anna Pia Maissen, Stadtbibliothek Winterthur und Zentralbibliothek Zürich. Räto Tschupp hat zudem am 18. und 19. März 1995 mit der Camerata Zürich zwei Konzerte in Erinnerung an Alexander Schaichet dirigiert.

*Verena Naegele*

Für das Verfassen meines Aufsatzes zur Liszt'schen Klaviertradition haben mir folgende Persönlichkeiten und Institutionen Auskunft gegeben, denen ich dafür herzlich danken möchte: Laszlo Vikarius vom Bartók-Archiv Budapest, Dr. Maria Eckhardt vom Liszt Ferenc Memorial Museum and Research Centre Budapest und Stefan Dell'Olivo von der Musikabteilung der Zentralbibliothek Zürich.

*Richard Frank*

# Personenregister

Das Personenregister erfasst die Aufsätze und «Stimmen», jedoch nicht den Anhang. Die kursiven Zahlen beziehen sich auf die Abbildungen.

Abranyi, Kornél: 86, 91
Achron, Joseph: 55, 76
Adler, Alfred: 19
Adler, Guido: 110
Aeschbacher, Adrian: 107
Aeschbacher, Nikolaus: 107
Albert, Eugène, d': 16
Alkan, Valentin: 81, 84, 89
am Bach, Rudolf: 58, 107, *107*
Anda, Géza: *66*, 79, 93, 101, 106
Anda-Bührle, Hortense: 79
Andersen, Hans Christian: 20
Andrassy, Graf: 86
Andreae, Volkmar: 24, 36, 74, *79*, 82, 93f
Ansermet, Ernest: 24
Antonaci, Salvatore: 78, 82, 95
Arensky, Anton: 18, 51
Arnet, Edwin: 56
Aronsky, Peter: 105
Arp, Hans: 17
Bach, Carl Philipp Emanuel: 33
Bach, Johann Christian: 13, 33
Bach, Johann Christoph Friedrich: *33*
Bach, Johann Sebastian: 15, 18, 28, *29*, 30, 33, 37ff, 46, 49, 60, 66f, 74, 79, 80, 82, 89, 101, 104, 108
Bach, Wilhelm Friedemann: 33
Badarczewska, Tekla: 81
Balmer, Luc: 37
Balogh, Ernst: 71, 92
Bär, Alfred: 105, *106*
Bär, Béatrice: 105
Bär, Hans J.: 105f
Bär, Ilse: 83
Bär, Julius: 79, 105f
Bär, Nicolas: 105, *106*
Bär, Peter: 105
Bär, Roger: 105, *106*
Bär, Rudolf: 105
Bär, Sonja: 105
Bär, Ulrich: 105, *106*
Bär-Halpérine, Doucia: 79
Bär-Halpérine, Walter: 79, 99, 105, *105*

Bär-Lohnstein, Ellen (auch Weyl, Ellen): 79, 104ff
Bär-Lohnstein, Richard: 79, 105
Bär-Theilheimer, Nelly: 79, 105
Bär-Theilheimer, Werner: 79, 105,
Barandun, Marianne: 106
Bartók, Béla jun.: 91, *91*
Bartók, Béla: *44*, 45, 50, 52, 62, 71–74, 76, 80ff, 84, 87, 89–95, *90*, 98
Baussnern, Waldemar von: 14
Beck, Conrad: 54, 57, 82
Beck, Hans: 11
Becker, Maria: 78
Beethoven, Ludwig van: 18, 20, 31, 62, 73f, 76, 80, 82, 88f, 90, 107
Berr, José: 18
Blaser, Corinna: 78
Bloch, Ernest: 42, 55, 62, 76
Blum, Robert: 36f, 37, 42, 53f, 57, 62, 75, 82
Boccherini, Luigi: 34
Bodmer, Hans: 19
Bodmer, Hermann: 19
Boer, Willem de: 53
Borodin, Alexander: 51
Boulez, Pierre: 104
Brahms, Johannes: 15, 53, 62, 72, 88, 104, 107
Brandmann, Israel: 55, 76
Bransky, Joachim: *14*, 15
Braun, Joseph: 20
Bruch, Max: 62
Bruckner, Anton: 11
Brun, Fritz: 36
Brunner, Adolf: 53, 57
Brunner, Annemarie: 78
Burkhard, Willy: 37ff, 40, 53, 56f, 75, 82
Busch, Fritz: 58
Busoni, Ferruccio: 17, 19ff, 37, 72, 74, 80ff, 84, 91–95, *94*, 101
Buxtehude, Dietrich: 33
Canetti, Elias: 7, 20
Casals, Pablo: 30
Casella, Alfredo: 82
Cassirer, Ernst: 17
Cherbuliez, Antoine-Elisée: 40, 45, 64
Chiodera, Alfred: 58
Chopin, Frédéric: 88ff
Constam, Georg R.: 106
Constam, Rudi: 106
Cortot, Alfred: 78

Crottet, Robert: 40
David, Hans: 29
Debussy, Claude: 76
Delius, Frederick: 14
Diener, Theodor: 62, 75, 81
Dittersdorf, Ditters von: 29, 34, 53
Doflein, Erich: 24
Dohnányi, Ernst von: 18, 89–92, 98, 100
Dostojewski, Fjodor M.: 19
Draber, H.W.: 24
Dubs, Hermann: 24
Durigo, Ilona: 30
Dvořák, Antonin: 62, 76, 106
Ebner, Joseph: 20
Ehlers, Alice: 29
Ehrenstein, Albert: 17
Ehrismann, Sibylle: 29
Elban, Benno: 49
Engel, Joel: 76
Engel, Karl: 101
Erdmann, Eduard: 100
Erkel, Ferenc: 86ff
Erkel, Gyula: 86
Erkel, Lazlo: 89
Ermatinger, Erhart: 42, 54, 57
Ernster, Dezsö: 76
Ettinger, Max: 55
Falla, Manuel de: 24, 26, 49, 62
Fanghänel, Emil: 31
Fassbaender, Richard: 18
Feuermann, Emanuel: 31, 33, 52, 75
Fink, Else: 76
Fischer, Annie: 30f, 33, 34, 77, 100, *100*
Fischer, Edwin: 30, 95, 106
Fischer, Hugo: 15
Flake, August: 17
Foldes, Andor: 101
Fortner, Wolfgang: 42, 45f, *47*, 52
Frank, Leonhard: 17
Frank, Richard: 78, 82, 84, *91*, 110
Franz Ferdinand, Kronprinz: 15
Freitag, Mathilde: 82
Freund, Joseph: 55
Frey, Emil: 21, 33, 40, 99, 107f
Frey, Walter: 19ff, 33, 39, 42, 45f, 53, 79
Frey-Knecht, Alice: 21, 24, 28, 57, 75, 79
Früh, Huldreich Georg: 57
Fuchss, Werner: 45
Gablinger, Siegfried: *62*
Gabrieli, Giovanni: 30, 33

Ganz, Annette: 82
Gassmann, Florian Leopold: 34
Geiser, Walter: 37
Geyer, Stefi: 35, 58, 61, 65, 78
Giehrl, Josef: 77
Giehse, Therese: 78
Gielen, Michael: 104
Gieseking, Walter: 58, 100
Gilels, Emil: 11
Glasunow, Alexandr: 51
Glière, Reinhold: 18
Gluck, Christoph Willibald: 34
Gobbi, Henrik: 86f
Goebbels, Joseph: 55
Goldberg, Simon: 31, 33, *52*, 75f, 79, 104, 106
Goldfaden, Abraham: 55
Gozzi, Carlo: 25
Grabner, Hermann: 60
Gretschaninow, Alexandr: 51
Häfliger, Ernst: 40
Halvorsen, Johan August: 18
Händel, Georg Friedrich: 18, 30, 33f, 62, 76, 107
Hay, Fred C: 56
Haydn, Joseph: 18, 29, 31, 33, 49, 57
Hegar, Friedrich: 36
Hengartner, Max: 56
Hess, Ernst: 52, 57
Hindemith, Paul: 16, 31, 33, 40, 46, 48, *48*, *52*, 53, 75, 82, 106
Hindenburg, Paul von: 55
Hirzel, Max: 98
Hitler, Adolf: 55, 59
Hoboken, Antony van: 29f
Hoch-Altherr, Ottilie: 25
Hoditz, Karl: 87
Honegger, Arthur: 43, 53, 57, 65, 80
Hoorenman, Johan: 28f, 75
Huber, Hans: 36
Huber, Werner: 30
Hummel, Johann Nepomuk: 13
Hyrtl, Anton: 89
Indy, Vincent de: 30
Ippolitow-Iwanow, Michail: 51
Isler, Ernst: 18ff, 21, 24, 36, 53, 57
Jacot, André: 64, 78
Janáček, Leoš: 52, 82f
Jawlensky, Alexej von: 17
Jelmoli, Hans: 24, 76
Jenny, Albert: 40
Jenny, Rico: 24
Juon, Paul: 80
Kadosa, Paul: 52

Kägi, Walter: 40
Kamer-Weber, Irene: 79
Kaminski, Heinrich: 49f, 53, 82
Kantorowitz, Mischa: 21, 30
Karajan, Herberth von: 104
Kartagener, Esther: 78, 82
Kempe, Rudolf: 104
Khachaturian, Aram: 104
Klengel, Julius: 12
Klose, Friedrich: 14
Köchel, Ludwig: 29
Kodály, Zoltán: 52, 74, 76, 80, 90f, 98
Koessler, Hans: 89f
Kötscher-Welti, Eva: 34
Kovác, Desider: 45, 76
Kramer, Fritz: *14*, 15
Krauss, Clemens: 110
Krein, Alexander: 51
Kreisler, Fritz: 62, 75
Křenek, Ernst: 44, 82
Kretzschmar, Hermann: 12
Kubelik, Rafael: 104
Küchler, Ferdinand: 62
Kunz, Robert: 64, 66
Kusterer, Arthur: 75
Labhart, Walter: *83*
Lamond, Frédéric: 107f
Landolt, Emil: 10, 66f
Landowska, Wanda: 28
Lang, Walter: 52, 57, 81, 99
Langhoff, Wolfgang: 78
Laquai, Reinhold: 24, 37
Lasker-Schüler, Else: 17
Lavater, Hans: 59
Leeb, Hermann: 53
Lendvai, Erwin: 35
Leuppi, Leo: 17
Lichtegg, Max: 78
Lippert, Peter: *63*
Liszt, Franz: 31, 74, 77, 80, 82, 84–95, 85, 100, 107
Lobstein-Wirz, Louise: 15
Lohr, Ina: 30
Löwinger, Elsa: 70, *70*
Löwinger, Gyuri: 70, *70*
Löwinger, Ila: 70, *70*
Löwinger, Julius: 70, *70*
Löwinger, Lenke: 70, *70*
Löwinger, Margit: 70, *70, 72*
Löwinger-Duschak, Rosa: 70, *70*
Lütschg, Andrej: 64, 67
Mahler, Gustav: 11, 76
Malipiero, Gian Francesco: 54

Márek, Czeslaw: 52
Martin, Frank: 54
Martinů, Bohuslav: 82
Méhul, Etienne Nicolas: 15
Melkus, Eduard: 64
Mendelssohn, Felix: 62, 88, 102, 107
Mengelberg, Willem: 78
Mertens, Oskar: 79
Metzger, Ursula: 66
Metzler, Marlies: 106
Mieg, Peter: 80
Mihalowich, Odön: 87
Milhaud, Darius: 48, 74, 82
Milstein, Nathan: 11, 64
Mjaskowsky, Nikolai; 51
Moeschinger, Albert: 28, 40, *41, 42,* 54, 57, 75, 81
Molnár, Antal: 50
Monakow, Else von: 30, 76
Monn, Georg Matthias: 30
Monteverdi, Claudio: 30, 33, 54
Morach, Otto: 25f
Moser, Marlis: *63,* 66
Moser, Rudolf: 42, 52
Mossolow, Alexandr: 48
Moszkowski, Moritz: 81
Mottier, Frédéric: 75f, 106
Mozart, Wolfgang Amadeus: 15, 29ff, 33, 58, 61f, 77, 82, 89, 94, 101
Müller-Welti, Hedwig: 38, *38*
Müller-Zürich, Paul: 37f, *38,* 52, 56f, 65f, 82
Muralt, Ludwig von: *27*
Mussorgsky, Modest: 51, 61, 74, 76
Nada, Jean: 39
Nadelmann, Leo: 79
Nägeli, Hans-Georg: 15, 66f, *66*
Nardini, Pietro: 53
Netter, Jaroslav: 78, *95*
Neuman, Gisela: 88
Nielsen, Carl: 45
Nikisch, Arthur: 11ff
Nikolaus II.: 10
Nikolic, Sandor: 86f
Nüesch, Nina: 78
Oboussier, Robert: 62, 81
Offenbach, Jacques: 49
Oistrach, David: 11, 64
Olsen-Bär, Marianne: 105
Onegin, Sigrid: 58, 78
Orff, Karl: 30, 33
Paganini, Niccolo: 76
Pahlen, Kurt: 109, *109*

Pastori, Ditta: 91
Peinemann, Edith: 79, *83,* 104, *104*
Pergolesi, Giovanni: 34
Pfitzner, Hans: 76, 78
Piening, Karl: *13*
Pleyel, Ignaz: 62
Poise, Ferdinand: 49
Prokofjew, Sergej: 51
Pundi, Johann: 87
Purcell, Henry: 30, 42, 75
Rabbow, Elisabeth: 76
Rabinowitch, Gregor: 17, 26f, 48f
Rachmaninow, Sergej: 61, 74
Radecke, Ernst: 20
Raphael, Günter: 53
Ravel, Maurice: 43, 51, 61, 67, 74
Reger, Max: 11ff, *13*, 15, 18, 30, 33, 37, 49, *50*, 53, 60
Rehberg, Walter: 40
Reichardt, Margarethe: 15
Reiff, Hermann: 27, 57f, 58, 77, 79, 100
Reiff-Sertorius, Lily: 27, 57f, *58*, 77, 79, 82, 100
Reiner, Fritz: 89
Reinhart, Hans: 20
Reinhart, Werner: 24, 27, 43f, 49
Reitz, Heiner: 65f
Reucker, Alfred: 20
Reuss, August: 81
Richter, Franz Xaver: 35
Richter, Hans: 89
Riemann, Hugo: 12f
Rilke, Rainer Maria: 39, 44
Rimsky-Korsakow, Nikolai: 51
Robbins Landon: H.C.: 33
Roesch, Hannelore: *63*
Roessel, Willy: 24
Rosbaud, Hans: 46
Rosenmüller, Johann: 33
Rothmüller, Marko: 52, 55, 76
Rubeli, Anton: 46
Rubinstein, Anton: 101
Sacher, Paul: 24, 29f, 42f, 45f, 57, 60, 81
Saillet, Marcel: 31
Saint-Saëns, Camille: 62, 66
Sammartini, Giovanni Batista: 34
Sandor, György: 92
Sandoz, Paul: 40
Sautter, Walter: 84
Sawallisch, Wolfgang: 104
Scarlatti, Domenico: 88
Schaichet, Alexander: 8, 10–67, *10,*

*12, 14, 21, 23, 26, 32, 34, 51, 55,* *57, 63, 65, 66, 67,* 73ff, *77ff,* 81, 84, *96,* 98–103, 105ff, 108–110
Schaichet, Emilie: *10,* 11, 55
Schaichet, Irma (auch Löwinger, Irma): 11, 17f 19, 21, *23, 26,* 27, 33, *34,* 36, 61, *66,* 67, *68,* 70–85, *70, 72, 83,* 87, 89, 92f, 95, *96,* 98–110
Schaichet, Michail: 10f
Schaichet, Mirjam: *23, 26,* 27, 52, 73
Schaichet, Peter: *23, 26,* 27, 73
Schaichet, Vera: *23, 73*
Schaichet-Gomberg, Berta: 10f
Schein, Regina: 76
Scherchen, Hermann: 24, 40, 44, 57, 74, 82
Schiff, András: 79
Schiffer, Marcellus: 46
Schmid, Erich: 74, 82
Schmid-Wyss, Hanni: 82f
Schmieder, Wolfgang: 29
Schoeck, Othmar: 12, 28, 57, 76
Schönberg, Arnold: 30, 45, 82
Schostakowitsch, Dimitri: 51
Schubert, Franz: 15, 49, 53, 62, 72, 74, 76, 80, 90, 109
Schuh, Willi: 36, 53
Schulthess, Walter: 60, 101
Schumann, Robert: 31, 61, 72, 74, 76, 80, 82, 88, 90, 100f
Schütter, Meinrad: 28, 40, 56
Schütz, Heinrich: 33
Schwitters, Kurt: 48
Sekles, Bernhard: 81
Serkin, Rudolf: 101, 106
Seyss-Inquart, Arthur: 55
Sibelius, Jean: 67
Siegrist, Lucy: 44
Silesius, Angelus: 28, 75
Simonds, Bruce: 106
Sinding, Christian: 15
Sirokay, Zsuzsanna: 82, *83*
Smetana, Bedrik: 83
Solti, Georg: 3, 5, 58, *59,* 78f, 81f, 98, *98,* 104, 106
Speiser-Bär, Ruth: 105f
Spoerri, Lore: 66, 75
Stader, Maria: 33, 58, 77ff, 83
Stalder-Ulrich, Heidi: 60, 64
Stamitz, Carl: 35
Stamitz, Johann: 35
Stavenhagen, Bernhard: 89
Steidl, Gustav: 31

Stein, Fritz: 13ff, 20, 30, 33f, 57
Steinbach, Fritz: 15
Stoljarski, Pjotr: 11
Stölzel, Gottfried Heinrich: 34
Stoutz, Edmond de: 61, 81
Straube, Karl: 34
Strauss, Richard: 40, 58, 76f, 90f, 94
Strawinsky, Igor: 51, 62
Studer, Oscar: 59ff
Sturzenegger, Richard: 40
Stüssi, Else: 56
Stüssi, Fritz: 20, 56
Stutschewsky, Joachim: 12, *14*, 15ff,
    18ff, 43, 73, 76, 81
Suchoň, Eugen: 83
Suk, Josef: 76
Suter, Hermann: 24, 36
Székely, Arnold: 71, *71*, 80, 87, 89,
    92, 100
Székely, Julia: 92
Szendy, Arpád: 80
Szymanowsky, Karol: 76
Taeuber, Sophie: 25
Tausig, Karl: 81, 84, 88f
Telemann, Georg Philipp: 33f
Thomán, István: 71, 84, 86–92, 95
Toch, Ernst: 48f, 62, 81f
Toscanini, Arturo: 98
Trede, Paul: 48f
Treichler, Hans: *13*
Tschaikowsky, Pjotr Ilijtsch: 18, 61f,
    74, 82, 101
Tschembertschy, Nikolaj: 53
Tscherepnin, Alexandr: 51, 74
Tschudy, Theophil: 58
Uljanow, Wladimir Ilijtsch (Lenin),
    16
Vaughan Williams, Ralph: 50
Vaurabourg, Andrée: 43
Vieuxtemps, Henri: 20
Viotti, Giovanni Battista: 62
Vivaldi, Antonio: 28, 33f, 60, 62
Vogel, Vladimir: 80
Volkmann, Robert: 86, 88, 90
Wagner, Richard: 36, 48, 90f
Wagner, Thomas: *83*
Walter, Bruno: 58
Wassilenko, Sergej: 53, 75
Weber, Carl Maria von: 74
Weber, Paul: 79
Weber, Walter: 79
Weber-Bürki, Marguerite: 79
Weber-Bürki, Walter: 79
Wedekind, Frank: 17
Wehrli, Werner: 39f, 80, 82

Weiner, Léo: 80f
Weingartner, Felix von: 78, 82, 110
Weismann, Julius: 14, 76
Weiss, Margit: 80
Wellesz, Egon: 43
Werefkin, Marianne von: 17
Werfel, Franz: 17
Werner, Gregor Joseph: 13, 34
Wettstein, Peter: 64, 102, *103*
Widmer, Rita: 82
Wieniawski, Henri: 62
Wigman, Mary: 17
Wilhelm II., Kaiser: 20
Will, Hans: 31
Wirz-Wyss, Klara: 44
Witt, Friedrich: 20
Wittelsbach, Rudolf: 57
Wolf, Hugo: 76
Wolf-Ferrari, Ermanno: 18
Wolfurt, Kurt von: 14
Wunsch, Hermann: 74
Zbinden, Julien-François: 62, 66
Zehnder, Dora: *63*, 67
Zichy, Graf Anton: 87
Zilcher, Hermann: 14
Zoellner, Richard: 81

*Franz-Liszt-Gesellschaft Schweiz-Japan*
リスト協会 スイス・日本
Ehren- Patronat : Sir Georg Solti
Sir ゲオルク・ショルティ・パトロン

Max-Gublerstrasse 25
CH–8103 Unterengstringen
Switzerland
Tel.: 01/750 33 70

Kamikoshien 1-2-3-401
Nishinomiyashi 663
Japan
Tel.: 0798/41 1452